> CÔTÉ PRATIQUE <

la photo
réflex et numérique

> CÔTÉ PRATIQUE <

la photo

réflex et numérique

Edité par :
Editions Glénat

Services éditoriaux et commerciaux :
Editions Glénat – 31/33 rue Ernest Renan
92130 Issy-les –Moulineaux

Première, Deuxième et Troisième parties reprises de Camera Wise
Traduit de l'anglais par Anne Sladovic, Patrick Facon et François Pernot
Quatrième partie réalisée par Initiales Publishing

Photographie de couverture : Graphic Obsession
Maquette de couverture : Les Quatre Lunes

Dépôt légal : avril 2005
ISBN : 2.7234.5155.0

SOMMAIRE

PREMIERE PARTIE : EQUIPEMENT ET TECHNIQUES	**11**
UNE EXPOSITION REUSSIE	**13**
CHOISIR SON OBJECTIF	**17**
LES GRANDS ANGULAIRES	**20**
TRAVAILLER AVEC UN TELEOBJECTIF	**22**
LES ZOOMS	**23**
PHOTOGRAPHIER AVEC UN GRAND ANGULAIRE	**24**
DEUXIEME PARTIE : LA LUMIERE	**27**
LUMIERE DE SOURCES DIVERSES	**28**
L'ECLAIRAGE D'UN PORTRAIT	**29**
LUMIERE REFLECHIE ET REFLECTEURS	**30**
PHOTOGRAPHIE DE NUIT	**32**
UN STUDIO IMPROVISE CHEZ VOUS	**33**
LUMIERE ARTIFICIELLE	**37**
LAMPES A INCANDESCENCE ET ACCESSOIRES	**39**
UTILISER UN FLASH AMOVIBLE EN STUDIO	**43**
CHOISISSEZ L'IMPORTANCE DU GRAIN	**47**
TROISIEME PARTIE : LES THEMES	**53**
PHOTOGRAPHIER LES PAYSAGES	**55**
UN PAYSAGE EN NOIR ET BLANC	**59**
PAYSAGES DE MONTAGNE	**63**
PHOTOGRAPHIER LE FOOTBALL	**67**
LE SPORT A L'ECOLE	**75**
LES PORTRAITS INTIMES	**79**
L'ETUDE DE LA PERSONNALITE	**83**
LE PORTRAIT EN LUMIERE NATURELLE	**87**
COMMENT PHOTOGRAPHIER LES BEBES	**91**
LES ENFANTS DANS LE STUDIO	**95**
LE PORTRAIT DE FAMILLE	**99**
PHOTOGRAPHIER LES FLEURS	**103**
QUATRIEME PARTIE : LA PHOTO NUMERIQUE	**107**
LES ETAPES D'UNE IMAGE NUMERIQUE	**110**
L'ACQUISITION DE L'IMAGE NUMERIQUE	**122**
LES FONCTIONS PROPRE A LA TECHNOLOGIE NUMERIQUE	**126**
LES LOGICIELS DE RETOUCHE	**134**
CORRIGER VOS IMAGES	**137**
LES RETOUCHES AVANCEES	**139**
LE STOCKAGE	**141**
GUIDE D'ACHAT	**142**
GLOSSAIRE	**152**

INTRODUCTION

Ce livre traite de la manière de prendre les meilleures photographies possibles, quels que soient les équipements que vous possédez. Peu importe si vous disposez d'un boîtier Reflex trois corps sophistiqué, doté d'une douzaine d'objectifs, ou d'un simple appareil compact, ou bien encore d'un matériel numérique dernier cri. L'important est de posséder de bonnes bases, et, partant de là, plus vous prendrez des photos, meilleures elles deviendront.

Bien entendu, il ne faut pas se lancer au hasard : il est nécessaire de suivre des règles précises. Certains types de photographies requièrent des équipements spécialisés, comme c'est le cas pour la plupart des sports ou pour certaines prises de vue nocturnes. Néanmoins, vous serez surpris de ce que vous pourrez obtenir avec des équipements modestes.

Cet ouvrage est composé de quatre parties qui traitent différents aspects de la photographie. Les trois premières parties concernent la photographie dite « argentique » obtenue grâce à des appareils Reflex classiques. Ces chapitres abordent respectivement les équipements et techniques de base, la maîtrise de la lumière et les thèmes photographiques tels le sport, le paysage ou le portrait. La dernière partie du livre se consacre à la photographie numérique ainsi qu'aux nouvelles technologies appliquées à l'image fixe. Cette section est complétée par un guide d'achat très utile pour comparer les qualités des divers équipements sélectionnés.

PREMIÈRE PARTIE

ÉQUIPEMENTS ET TECHNIQUES

Une exposition réussie

Apprendre comment fonctionnent l'ouverture du diaphragme et la vitesse d'obturation vous permettra d'obtenir le temps de pose le mieux adapté et vous aidera à créer des images comme vous les souhaitez.

Arriver à un temps de pose correct, c'est doser le volume de lumière qui impressionne le film. Si on laisse filtrer trop d'intensité lumineuse, le film sera surexposé et la photographie beaucoup trop claire. En revanche, si la lumière est insuffisante, le film sera sous-exposé et la photographie trop sombre.

Aussi est-il essentiel de penser simultanément à l'ouverture du diaphragme et à la vitesse d'obturation. Bien que ces deux paramètres permettent de contrôler le niveau de lumière qui atteindra le film, leur manière d'affecter l'image est très différente. L'ouverture du diaphragme touchera la profondeur du champ, c'est-à-dire la netteté de l'image (voir page 14). La vitesse d'obturation déterminera la qualité des sujets en mouvement.

Qualité de l'exposition

La qualité de l'exposition ne dépend pas uniquement de la seule quantité de lumière qui atteindra le film. Elle est déterminée par un bon dosage entre l'ouverture du diaphragme et la vitesse d'obturation, ceci en fonction du sujet concerné.

Il est possible de choisir diverses combinaisons qui permettent de faire passer la même quantité de lumière par l'objectif. Il est aussi possible de sélectionner une faible ouverture du diaphragme afin de saisir l'ensemble de la scène. Alternativement, on peut opter pour une vitesse d'obturation élevée qui permet de capturer le mouvement. Toute exposition résulte en définitive d'un compromis entre l'ouverture du diaphragme et la vitesse d'obturation.

Exposition automatique

Certains appareils disposent d'un mode d'exposition automatique qui contrôle l'ouverture et la vitesse d'obturation, permettant de réaliser des clichés correctement exposés. Cependant, le résultat final n'est pas forcément celui qu'attend l'utilisateur. L'appareil sélectionnant des réglages moyens, la vitesse d'obturation peut se révéler trop basse pour capturer un sujet en mouvement.

En ayant assimilé les paramètres de base de l'exposition, on pourra deviner de quelle manière se comportera un appareil et agir manuellement sur les commandes automatiques de manière à obtenir l'effet désiré.

▼ ***En sélectionnant une ouverture réduite, le photographe est parvenu à prendre un cliché d'une très grande netteté. Cette solution n'a été possible que parce que le véhicule était immobile.***

Vitesse d'obturation et contrôle de la lumière

La quantité de lumière qui impressionne le film est contrôlée par un diaphragme situé immédiatement derrière le verre de l'objectif. Le diaphragme travaille à la manière de l'iris d'un oeil, qui s'ouvre largement dans l'obscurité, afin d'accroître le volume de lumière reçu, et se ferme en pleine lumière

Valeurs de diaphragme. Les appareils photographiques, pour indiquer la grandeur de l'ouverture, utilisent un système numérique appelé valeurs de diaphragme. Sur les objectifs de 50 mm, on trouve un éventail d'ouvertures de f1,4, f2,8, f5,6, f.8, f11, f16 et f22. Moins ces valeurs sont importantes, plus grande est l'ouverture et plus grand est le volume de lumière qui atteint le film. Par exemple, le réglage f2.8 laisse passer plus de lumière que le réglage f16.

En augmentant ou en diminuant la valeur de diaphragme, on accroît ou on réduit le volume de lumière. Par exemple, le réglage f8 correspond à un niveau de lumière double de f11 et moitié moins important que pour f5.6.

Dans des conditions d'éclairement insuffisantes, sélectionner une forte ouverture permet à un volume de lumière plus important d'atteindre le film. Dans des conditions d'éclairement maximales, le recours à une plus faible ouverture empêche trop de lumière d'atteindre le film et évite la surexposition. Un appareil automatique détermine sans recours manuel ces paramètres.

Le phénomène de surexposition est beaucoup plus apparent sur les diapositives. Régler l'ouverture sur f8, à 1/125e de seconde, permet d'obtenir un peu plus de lumière.

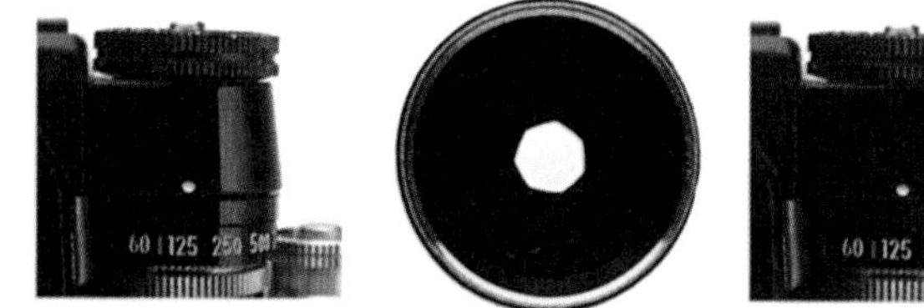

Exposition correcte. Dans les mêmes conditions, sur f8 et à 1/125e de seconde, le volume de lumière obtenu est parfait. Les appareils automatiques permettent un tel réglage.

Sous-exposition. Lorsque l'appareil est réglé à f16 et à 1/125e de seconde, l'ouverture est insuffisante et la lumière se révèle trop faible pour permettre d'obtenir un bon résultat.

Les effets de la grandeur d'ouverture sur une photographie

Si l'on sélectionne une petite ouverture, la profondeur du champ est importante, et une grande partie de l'image est contrastée. Ce type de réglage est adapté aux paysages et aux prises de vues architecturales.

Si l'on sélectionne une grande ouverture, la profondeur du champ est moindre, et seule une petite partie de l'image sera contrastée. Cette méthode est adaptée à la mise en valeur de certaines parties d'un sujet photographié, le faisant ressortir du reste de l'image.

Lumière faible	Forte ouverture	Ouverture faible (f1.8 ou f2, par exemple)	Faible profondeur de champ
Lumière moyenne	Ouverture moyenne	Ouverture moyenne (f5.6 ou 8, par exemple)	Grande profondeur de champ
Lumière intense	Petite ouverture	Ouverture forte (f11 ou f16, par exemple)	Très grande profondeur de champ

Vitesse d'obturation et temps de pose

Le vitesse d'obturation détermine de quelle manière le film est exposé à la lumière, en même temps que le temps de pose. En actionnant le déclencheur, vous mettez l'obturateur en mouvement et laissez passer la lumière à travers l'objectif jusqu'au film.

Le volume de lumière qui parvient à la pellicule est déterminé par la vitesse d'obrturation, c'est-à-dire pendant combien de temps l'obturateur demeurera ouvert. Cette valeur s'exprime en fractions de seconde et en secondes pleines.

Sur un appareil reflex moderne, le temps de pose peut être de 1 seconde, 1/2 seconde, 1/4, 1/8e, 1/30e, 1/60e, 1/125e, 1/250e, 1/500e, 1/1 000e, 1/2 000e de seconde. Quelques boîtiers professionnels peuvent aller jusqu'à 1/8 000e de seconde, tandis que d'autres disposent d'une vitesse d'obturation aussi élevée que 1 minute.

En passant successivement d'une vitesse d'obturation à l'autre, on double ou on divise par deux le volume de lumière qui atteint la pellicule. Par exemple, le réglage 1/125e de seconde laisse passer deux fois plus de lumière que 1/250e, mais deux fois moins que 1/60e.

Dans des conditions d'éclairement important, sélectionnez une vitesse d'obturation élevée afin de limiter le volume de lumière qui atteindra le film, en sorte que l'image ne sera pas surexposée. Dans des conditions d'éclairement insuffisantes, choisissez une vitesse d'obturation lente, qui permet à la lumière d'impressionner suffisamment longtemps le film pour qu'une image s'y forme. Avec un appareil automatique, point n'est besoin de procéder à de tels réglages. Celui-ci répondra comme il convient aux variations de lumière.

Surexposition. Dans des conditions de lumière intense, réglez la vitesse d'obturation à 1/60e de seconde et l'ouverture à f11 afin d'empêcher trop de lumière de parvenir au film. Une trop faible vitesse d'obturation a rendu ce cycliste flou.

Bonne exposition. Dans les mêmes conditions, un réglage à 1/25e de s et une ouverture de f11 permettent d'obtenir le bon volume de lumière. Non seulement, le cycliste est bien défini, mais l'impression de mouvement est parfaitement restituée.

Sous-exposition. Régler la vitesse d'obturation à 1/250e et l'ouverture à f11 n'autorise pas le passage d'un volume de lumière suffisant, mais donne une image bien définie. Faire passer l'ouverture à f8 donne une image bien définie et correctement exposée.

Les effets de la vitesse d'obturation sur une image

La vitesse d'obturation constitue un paramètre crucial lorsqu'on souhaite prendre des photographies bien nettes de sujets en mouvement où lorsqu'on redoute les bougés de l'appareil.

Pour des sujets mouvants comme les sports, il vous faudra avoir recours à des vitesses d'obturation élevées, afin de bien saisir les mouvements. pour les paysages et les natures mortes, ayez recours à des vitesses d'obturation basses.

Eclairement faible	Vitesse lente	lVitesse d'obturation élevée (1/15e ou 1/30e, par exemple)	Sujets en mouvements flous, problèmes lorsque l'appareil bouge
Eclairement moyen	Vitesse moyenne	Vitesse d'obturation moyenne (1/60e ou 1/125e, par exemple)	Permet de corriger les mouvements de l'appareil, accentue l'impression de mouvement.
Eclairement intense	Vitesse élevée	Vitesse d'obturation basse (1/500e ou 1/1 000e, par exemple)	Gomme l'impression de mouvement

Déterminer le meilleur temps de pose

À différents types d'images et de sujets correspondent différentes combinaisons d'ouverture et de vitesse d'obturation. Tout dépend si vous souhaitez fixer sur la pellicule un cycliste en pleine vitesse ou la totalité d'un beau paysage ; ou bien si le sujet que vous photographiez doit se détacher nettement sur un fond plus flou ; ou bien encore si vous désirez mettre en valeur tous les détails d'une nature morte.

La vitesse d'obturation et l'ouverture sont conçues de façon qu'une fermeture du diaphragme corresponde à un réglage de vitesse en termes d'exposition. Réduire d'un cran l'ouverture c'est-à-dire passer de f8 à f11 ou diminuer de moitié la vitesse d'obturation en passant par exemple de 1/125e à 1/250e de seconde permet d'affecter à la baisse le volume de lumière qui entre dans la chambre noire dans des proportions identiques.

Cette corrélation offre au photographe une grande variété de combinaisons d'ouverture et de vitesse d'obturation, permettant une exposition correcte du film. Si le posemètre de votre appareil recommande un temps de pose de 1/125e de seconde à f11, vous serez en mesure de capturer un quelconque mouvement, tout en bénéficiant d'une profondeur de champ moyenne.

Pour les sujets en mouvement. Si vous souhaitez photographier un pilote de motocyclette en train de négocier un virage, seule une vitesse d'obturation plus élevée - c'est-à-dire 1/500e de seconde - vous permettra de fixer le mouvement. Mais, dans ce cas précis, il faudra compenser en sélectionnant une ouverture plus importante, soit f5.6. Paramétrer ainsi votre appareil vous permet de réduire la profondeur de champ et d'effectuer une mise au point plus précise.

Passer à une vitesse plus élevée permet de diminuer le volume de lumière admis dans la chambre noire. Mais, sous peine d'avoir une photographie sous-exposée, il vous faudra compenser cela en augmentant l'ouverture du diaphragme, de façon que l'intensité de la lumière reçue soit plus importante.

Pour des natures mortes. L'important est de disposer d'une large profondeur de champ, de manière à ce que l'ensemble du sujet soit net.

Passer de f11 à f22 accroît cette profondeur mais réduit d'autant la lumination. Il vous faut corriger cela en passant à une vitesse d'obturation de 1/30e de seconde. Cette manœuvre permet d'ouvrir un peu plus longtemps l'obturateur, donc à plus de lumière d'atteindre le film.

▶ Le photographe a employé une vitesse d'obturation élevée et une grande ouverture pour saisir cette photographie parfaitement exposée de deux fous de Bassan. Une vitesse d'obturation rapide a permis de capturer les mouvements des oiseaux, tandis qu'une grande ouverture a permis de bien les faire se détacher sur l'arrière-fond et l'avant-plan.

Une vitesse d'obturation de 1/125e de seconde et une ouverture de f11 constituent une exposition correcte lorsque vous travaillez par un temps ensoleillé, avec un film de 100 ISO chargé dans votre appareil.

Pour les photographies sportives, une vitesse d'obturation de 1/125e de seconde sera insuffisante pour saisir le mouvement d'un sujet. Sélectionnez donc une vitesse plus élevée et une ouverture de f4 afin d'obtenir le meilleur résultat possible.

Pour les prises de vues architecturales, assurez-vous que l'image soit nette dans toute sa profondeur en réglant l'appareil sur une petite ouverture - f22 - et en sélectionnant une vitesse d'obturation lente, de l'ordre de 1/30e de seconde.

Choisir son objectif

Un des boîtiers les plus souples d'emploi qui existe aujourd'hui est sans aucun doute le réflex de 35 mm. La raison essentielle de cette supériorité tient aux innombrables objectifs interchangeables dont il peut être équipé.

Téléobjectifs qui permettent de saisir le moindre détail, grands angulaires qui embrassent de grands volumes, objectifs ultrasensibles qui offrent la possibilité de photographier avec un très faible niveau de lumière, zooms équipés d'un grand nombre de longueurs focales pouvant être rapidement sélectionnées. Le choix est considérable. Chaque objectif est destiné à une application spécifique et chacun d'entre eux confère une certaine particularité à telle ou telle photographie.

Aussi convient-il d'apprendre comment ils fonctionnent et à quels types de sujets il sont destinés.

Catégories d'objectifs

Selon leur longueur focale, les objectifs sont regroupés en trois grandes catégories : standard, grands angulaires et téléobjectifs.

Techniquement, la longueur focale correspond à la distance qui sépare le film d'un point précis situé dans l'objectif. Cependant, dans la pratique, l'important est de savoir de quelle manière la longueur focale affecte l'angle de champ de l'objectif.

◀ ***Même si vous employez le plus sophistiqué des appareils compacts, vous découvrirez vite combien il est frustrant de disposer d'une longueur focale limitée, avec un grand angulaire qui ne sera jamais assez important et un téléobjectif d'une portée insuffisante. Le recours à un reflex de 35 mm permet de surmonter ces obstacles, en vous offrant la possibilité d'utiliser une vaste gamme d'objectifs interchangeables, vous conférant ainsi une très grande souplesse de travail.***

Longueur focale et composition

Les objectifs à longueurs focales variables permettent une très grande souplesse en matière de prise de vues. Vous serez ainsi en mesure de modifier de manière spectaculaire la composition d'une photographie en changeant seulement la longueur de focale de l'objectif que vous utilisez.

Les objectifs standard offrent une image identique à celle que l'œil restitue. Les photographies prises ont un aspect naturel. Pour un appareil 35 mm, un objectif de 50 mm est considéré comme standard.

Les objectifs grand angulaires, avec une longueur focale courte (13-35 mm pour un format de 35 mm), permettent de couvrir un champ plus large.

Les téléobjectifs, avec une grande longueur focale (70-300 mm pour un format de 35 mm), donnent un champ plus étroit. Ils permettent de se rapprocher du sujet sur lequel s'effectue la mise au point alors que les grands angulaires l'éloignent.

Les téléobjectifs et les grands angulaires les plus puissants permettent d'accroître ces effets, exerçant de cette manière une influence très forte sur le style et la composition des clichés.

Les téléobjectifs à forte longueur focale, soit plus de 300 mm, offrent la possibilité de prendre un point précis situé devant de l'appareil. Ils se révèlent d'une grande utilité pour les photographies sportives ou celles qui concernent la vie sauvage, où l'on doit se tenir à distance du sujet.

Les objectifs dits "Fisheye" (normalement, de 15 à 16 mm) couvrent un angle de 180° mais créent des déformations considérables. Certains de ces objecifs restituent une image circulaire de 180°.

Les objectifs macro sont conçus pour photographier les sujets à une distance très rapprochée. Ils possèdent une grande variété de longueurs focales, allant de 50 à 200 mm.

Objectifs fixes contre zooms

Les objectifs se répartissent en deux catégories : les fixes et les zooms. Les premiers ont une longueur de focale et un angle de champ non modifiables.

Les zooms sont d'un emploi beaucoup plus souple, c'est-à-dire que leur longueur focale peut être transformée progressivement dans l'ensemble du champ qu'ils couvrent et qu'ils peuvent restituer à volonté une partie plus ou moins importante d'une scène. Cette particularité est d'une grande importance lorsqu'on veut parvenir à des réglages très fins et qu'on souhaite cadrer une image sans bouger l'appareil lui-même.

Beaucoup d'appareils sont actuellement vendus avec un zoom standard, allant de 35 à 70 mm, au lieu de l'objectif standard habituel de 50 mm. La souplesse d'emploi du zoom vous permettra de prendre une très grande variété de photographies. Cependant, les zooms sont souvent plus lents et moins maniables que les objectifs fixes de 50 mm et a qualité des images s'en ressent d'autant. Ces objectifs incluent les zooms à petite focale (35-70 mm), les zooms à moyenne focale (70-210 mm) et les superzooms (28-200 mm).

Qu'est-ce qu'un objectif ?

La meilleure façon de comprendre ce qu'est un objectif et comment il fonctionne consiste à l'enlever du boîtier et à l'examiner de près. Il est également très utile de savoir à quoi correspondent les indications qu'il comporte.

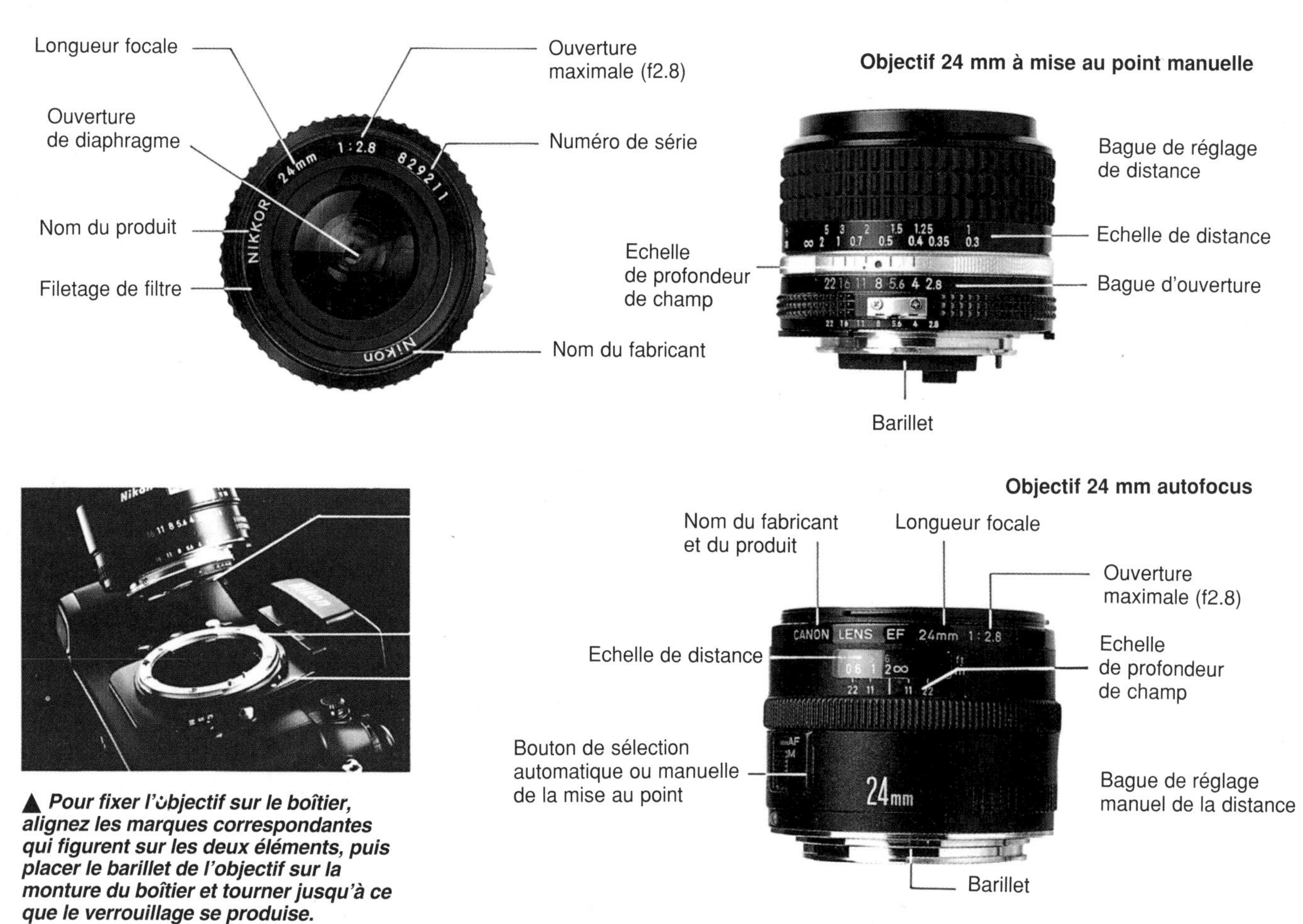

▲ *Pour fixer l'objectif sur le boîtier, alignez les marques correspondantes qui figurent sur les deux éléments, puis placer le barillet de l'objectif sur la monture du boîtier et tourner jusqu'à ce que le verrouillage se produise.*

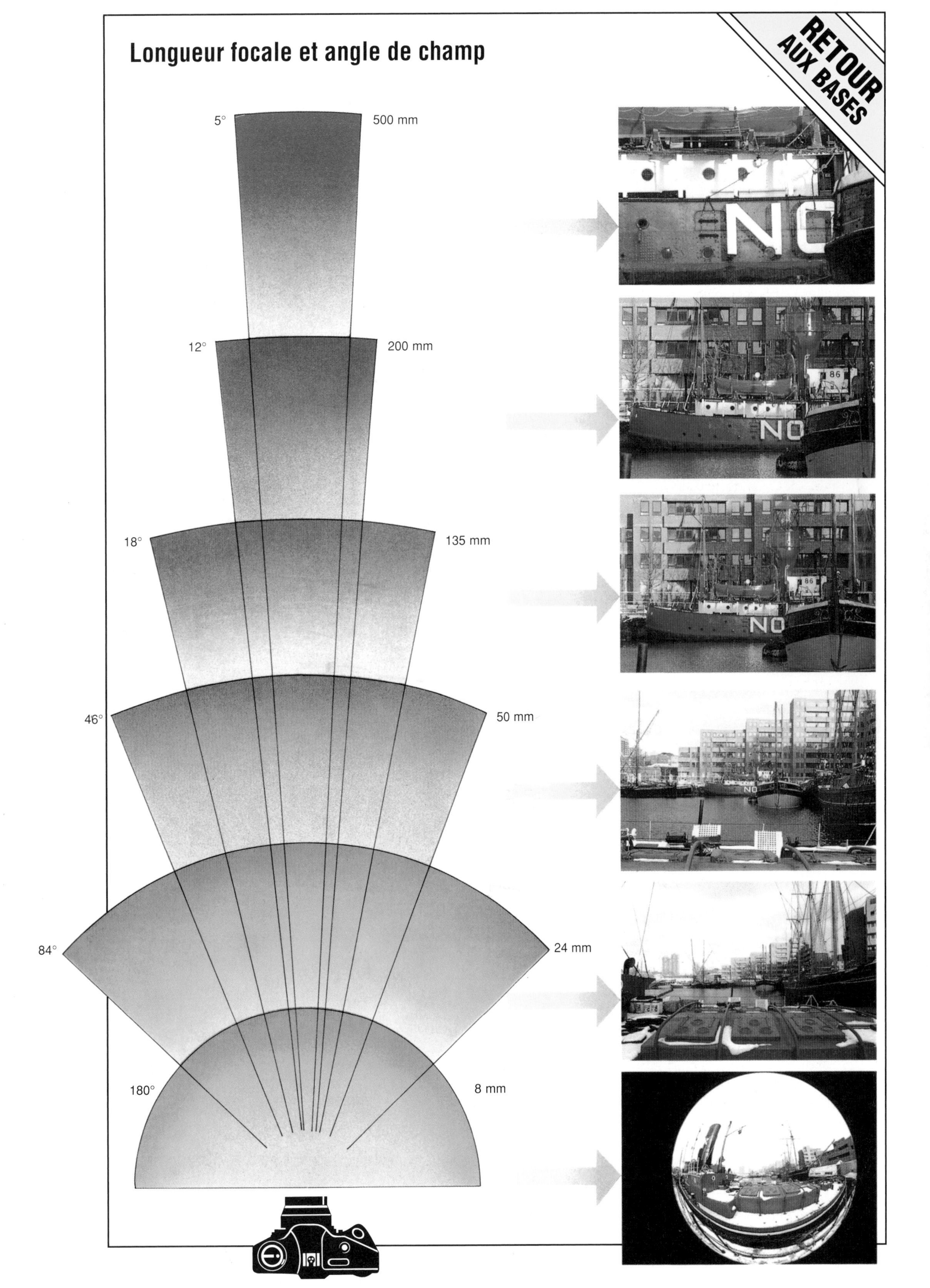

Longueur focale et angle de champ
RETOUR AUX BASES
5°
500 mm
12°
200 mm
18°
135 mm
46°
50 mm
84°
24 mm
180°
8 mm

Les grands angulaires

Comme leur désignation l'indique, les grands angulaires sont destinés à capturer de vastes scènes. Ils sont d'une valeur sans égale pour les paysages, mais leur utilité ne s'arrête pas là. Vous pourrez aussi les employer pour obtenir des effets créatifs.

L'objectif de 50 mm conviendra bien à la plupart des photographies que vous pourrez réaliser. Mais il viendra bientôt un moment où vous ne pourrez plus capturer l'ensemble d'une scène que vous distinguerez dans votre viseur. Le recours à un objectif grand angulaire permettra de résoudre ce problème.

Le terme grand angulaire recouvre des optiques dont la longueur focale est inférieure à 50 mm. Ces objectifs englobent en fait un angle de champ plus important que celui de 46° couvert les optiques standard, c'est-à-dire qu'ils étendent le champ d'une photographie non seulement sur les côtés, mais aussi en dessous et au-dessus. Plus courte est la focale, plus grand est le champ pris en compte.

Un objectif grand angulaire revient très cher, les plus coûteux étant ceux à courte focale. La différence de prix entre un 35 mm et un 24 mm est souvent très importante. Cependant, grâce à la fabrication assistée par ordinateur, les fabricants sont parvenus à proposer des optiques de cette gamme à des prix beaucoup plus acceptables aujourd'hui.

De multiples usages

Une des utilisations les plus communes des objectifs grands angulaires se rapporte aux photographies de paysages. Mais ils n'en sont pas moins très bien adaptés à des clichés d'intérieur ou à la photographie de groupe. Par exemple, vous serez en mesure, si vous utilisez une optique de ce type, de tenir dans votre viseur un groupe important et de le photographier d'assez près pour que les gens puissent entendre les instructions que vous leur communiquerez.

▲ ***Dans tout sac de photographe, il existe de la place pour un ou deux grands angulaires. Si vous n'avez pas les moyens, contentez-vous d'un simple 24 mm.***

De larges applications

Beaucoup de professionnels, ignorant le 50 mm, utilisent en standard le 35 mm comme un grand angulaire. Mais le premier objectif grand angulaire véritable a une focale de 28 mm. Le 24 mm et les optiques à plus courte focale sont beaucoup plus employés parce qu'ils permettent d'obtenir des effets plus spectaculaires. Un objectif de 35 mm peut couvrir un champ deux fois plus important que celui qu'embrasse un 50 mm. Pour un 28 mm, le champ est trois fois plus grand et pour un 24 mm, quatre fois.

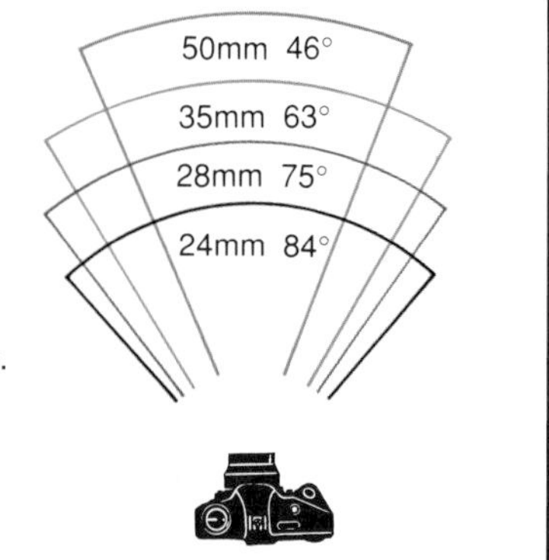

▼ ***Utilisez vos grands angulaires pour saisir des photographies spectaculaires, comme un coucher de soleil ou des formations nuageuses. Vous pourrez capturer une vaste portion de ciel et restituer ainsi une impression d'espace.***

Les effets des grands angulaires

Les grands angulaires permettent d'obtenir nombre d'effets très intéressants.

Effet de profondeur. Les objets distants apparaissent souvent plus lointains qu'ils ne le sont en réalité. Grâce à un objectif grand angulaire, un photographe sera en mesure de rapprocher les sujets situés à l'avant-plan. En combinant ces deux caractéristiques, il pourra même introduire dans sa prise de vue un effet de profondeur, presque de 3 D. Plus courte est la focale de l'objectif, plus important est l'effet obtenu en ce sens.

Rallonger les distances. Les photographes paysagistes apprécient les objectifs grands angulaires non seulement parce qu'ils leur permettent de saisir des zones plus importantes, mais aussi parce qu'ils offrent la possibilité de rallonger les distances, d'accroître l'impression de profondeur. Cet effet peut être encore augmenté en incluant dans un cliché un élément — tel qu'une route — serpentant de l'avant-plan à l'arrière-fondde la photographie.

Exagérer les proportions. L'effet qui consiste à rallonger les distances fonctionne aussi avec les objets. Ceux-ci apparaîtront à la fois plus proches et plus allongés. Utilisez par exemple un grand angulaire pour photographier une voiture. La longueur de celle-ci se trouvera immédiatement accrue, au point de lui conférer les proportions d'une limousine.

Cet effet intéressant peut être aussi employé pour accroître l'impression de hauteur. En photographiant une maison en contre-plongée avec un grand angulaire, vous lui donnerez l'allure d'un véritable gratte-ciel.

▲ *Le photographe a accentué la hauteur et l'ampleur de ce bâtiment en prenant sa photographie en contre-plongée, avec un grand angulaire.*

Note

Déformation

Si vous employez un grand angulaire pour faire un portrait, prenez garde à ne pas placer le sujet de votre photographie trop près de votre appareil. Cette façon de procéder aura tendance à lui faire occuper l'ensemble de l'espace disponible. Mais l'effet produit par un grand angulaire déformera également les traits du visage de la personne photographiée et disproportionnera certaines parties de son corps. Plus important sera le grand angulaire que vous utilisez et plus proche sera le sujet, plus prononcée sera la déformation.

Lorsque vous procédez à la composition de votre image, essayez de vous rendre compte si les sujets proches sont déformés. Si tel est le cas, éloignez-les de l'appareil de quelque distance.

▲ *Les portraits rapprochés apparaissent fort peu naturels. Les parties du sujet les plus proches de l'appareil sont disproportionnées par rapport aux autres. Ici, la tête de cette jeune semble plus volumineuses.*

▲ *La solution à un tel problème est simple. En reculant de quelques pas, le photographe est parvenu à gommer les déformations initiales, réalisant un portrait plus attractif et plus naturel.*

Travailler avec un téléobjectif

Utiliser un téléobjectif vous permettra de faire se rapprocher les sujets éloignés.

Il est courant de comparer un téléobjectif à un télescope qui serait monté sur un appareil photographique. L'utilité principale du téléobjectif et du télescope est de rendre plus proches, plus grands et plus détaillés les objets éloignés.

Le téléobjectif vous permet de prendre de près le sujet que vous souhaitez photographier, que vous ne puissiez l'approcher ou qu'il ne veuille pas que vous l'approchiez. Vous êtes ainsi en mesure d'effectuer des photographies sportives depuis une tribune ou des clichés d'animaux sauvages sans courir le moindre risque.

Le recours à un téléobjectif s'impose également lorsqu'il s'agit de faire se détacher des sujets précis de leur environnement. Vous pouvez ainsi faire le portrait d'un individu qui se confond avec la foule, ou bien mettre en valeur un détail architectural précis sur un bâtiment. Plus simplement, se rapprocher d'un sujet donné avec un objectif standard ou un grand angulaire ne produit pas le même effet, car même de très près ces optiques capturent beaucoup plus d'arrière-fond qu'un téléobjectif pointé de loin.

Qu'est-ce qu'un téléobjectif ?

Les objectifs qui possèdent une longueur focale plus grande que celle des optiques standard sont classés dans la catégorie des téléobjectifs. Pour un boîtier de 35 mm, cette définition signifie que les objectifs supérieurs à 50 mm entrent dans cette catégorie — bien que les standards courants considèrent qu'une optique de 85 mm soit le téléobjectif le plus petit qui existe.

▲ ***Les objectifs dont la longueur focale est supérieure à 70 mm sont classés dans la catégorie des téléobjectifs. Mais toutes les optiques de ce type ne sont pas aussi lourdes et coûteuses que celle du 300 mm, représenté ici. Le recours à tel ou tel téléobjectif dépend du sujet que vous souhaitez photographier, de la distance à laquelle il se trouve et de la scène que vous souhaitez inclure dans votre image.***

Magnification

Plus importante est la longueur focale d'un objectif, plus l'image qu'il restitue sera magnifiée. Un téléobjectif de 100 mm a un pouvoir de magnification deux fois plus important qu'un objectif de 50 mm. Ce qui signifie que les dimensions d'un sujet donné seront deux fois plus importantes avec cette optique. Un objectif de 500 mm possède un pouvoir de magnification dix fois plus grand qu'une optique standard.

◀ ***Avec un 50 mm, le sujet principal de cette photographie, l'homme qui porte un chapeau, est perdu parmi la foule.***

▶ ***Avec un 200 mm, le photographe met le sujet principal en valeur.***

Les zooms

Portraits artistiques, paysages au piqué de grande qualité, scènes de la vie sauvage : faire des clichés de ces différents sujets est possible grâce aux zooms, qui figurent parmi les objectifs préférés de nombreux photographes, un des plus employés aussi.

Un des plus grands avantages du zoom réside dans sa très importante souplesse d'utilisation. Les objectifs de ce type sont assez peu coûteux, légers, et possèdent une bonne définition. Les zooms les plus récents sont d'une effecience hors du commun et en général d'un prix abordable. Ils sont en mesure de remplacer deux, trois et même quatre objectifs standard fixes.

Grâce aux recherches entreprises dans ce domaine, les zooms actuels ont atteint un degré de perfection élevé. Aujourd'hui, ils sont d'une qualité pratiquement identique à celle des meilleures optiques à focale fixe.

En ce qui concerne leur prix, ces objectifs sont beaucoup moins coûteux que des optiques à grande longueur focale fixe. Un zoom de bonne qualité, couvrant plusieurs longeurs focale, revient en effet à la moitié du prix d'un 105, d'un 135, d'un 180 ou d'un 200 mm à focale fixe.

▲ *Il existe une gamme étendue de zooms modernes qui offrent de très grands standards de qualité.*

◀ *Un zoom à focale moyenne est idéalement adapté à la prise de vue sportive scolaire. Il permet de prendre des photographies d'amateur de qualité. Vous pourrez entrer dans l'action en jouant avec différentes longueurs focales.*

Photographier avec un grand angulaire

Lorsque vous décidez d'utiliser un grand angulaire, rappelez-vous que plus courte sera sa longueur focale, plus grande sera la déformation des images que vous prendrez par rapport à la réalité. Fort de cette information, vous êtes en mesure de déterminer quel type d'objectif convient le mieux aux clichés que vous souhaitez prendre.

Prenez l'optique la plus grande possible que vous trouverez si vous désirez exagérer l'impression de profondeur d'une image, ou y intégrer le plus de choses possibles. Si vous avec l'intention de saisir une simple scène sans exagérer les effets produits par un grand angulaire, prenez un objectif à focale modérée.

▲ *Le grand angulaire de 35 mm est parfaitement adapté à la photographie de reportage et de vérité. Vous pouvez serrer au plus près le sujet et en conserver la tête et les épaules dans votre cadrage. Avec un objectif grand angulaire à focale moyenne, le problème de la déformation ne se pose pas. Un cliché pris de près produit souvent de meilleurs résultats qu'une photographie faite à distance, avec un objectif à plus grande focale.*

35 mm

28 mm

▶ *L'objectif de 28 mm convient bien aux paysages et à la photographie dans la rue. Il vous permet de prendre un large panorama et de regrouper sur un même cliché un grand nombre d'éléments. Avec une optique de cette dimension, les effets de déformation sont parfaitement visibles et la distance entre les objets apparaît vraiment peu conforme à la réalité. Si vous utilisez un 28 mm, assurez-vous que les divers sujets que vous prenez sont à la même distance de l'appareil.*

24 mm

▲ ***Un objectif de 24 mm est en mesure de couvrir une pièce moyenne, mais évitez de vous approcher trop près des sujets photographiés afin de ne pas provoquer de phénomène de déformation.***

Les effets produits par un objectif grand angulaire apparaissent mieux avec un 24 mm, avec lequel la déformation pose un problème. Les sujets placés à quelques mètres de l'appareil semblent plus lointains, et d'importantes étendues de paysages de campagne ou urbains peuvent être capturées.

◀ ***Photographie prise avec un 50 mm.***

Longeur focale et profondeur de champ

RETOUR AUX BASES

D'un point de vue donné et à une ouverture déterminée, la profondeur de champ s'améliore de façon spectaculaire lorsque les longueurs de focale sont moindres. Quand vous vous rapprochez d'un sujet au point que le grand angulaire couvre la même zone qu'un objectif à plus grande focale, la profondeur de champ reste la même. Mais les photographes ne travaillent pas habituellement de cette manière.

Si vous souhaitez optimiser la profondeur de champ, ayez recours à l'objectif à longueur focale la plus faible. En faisant, avec un 24 mm, la mise au point sur un sujet situé à 2 m, en utilisant une ouverture de f8, la profondeur de champ s'étagera de quelques centimètres en avant de l'objectif jusqu'à l'horizon et la scène sera nette partout.

▲ ***Avec une mise au point sur le sujet le plus proche, la profondeur de champ est limitée et ne s'étend pas au sujet le plus éloigné.***

▲ ***Avec un 24 mm, la profondeur de champ s'accroît spectaculairement et l'ensemble de la scène est net.***

DEUXIÈME PARTIE

LA LUMIÈRE

Lumière de sources diverses

Souvent, il y a plus d'une fenêtre ou d'une porte laissant entrer la lumière dans une pièce. Si la lumière brille dans une seule direction, elle crée des ombres dures. Mais si le sujet est aussi éclairé sous un autre angle, cela permet d'atténuer les ombres.

Veillez toutefois à ce qu'une seule source de lumière domine la scène. La seconde source de lumière atténuerait simplement l'ombre projetée par la première source. Des doubles ombres projetées par des sources de lumière d'égale intensité donnent souvent à une photographie un aspect irréel.

L'utilisation de plusieurs sources de lumière provenant de plusieurs fenêtres permet de résoudre un problème important. La lumière indirecte venant d'une fenêtre est parfois si faible qu'il vous faut utiliser une vitesse d'obturation très lente afin d'obtenir la meilleure exposition. Si vous prenez un portrait, cela sera peut-être difficile pour votre modèle de rester immobile pendant un long temps de pose.

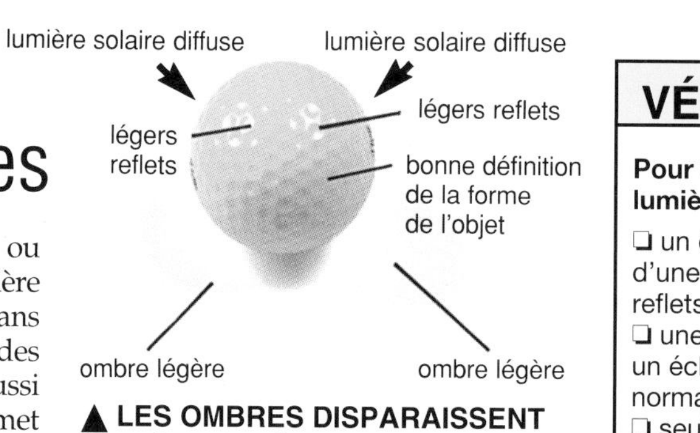

▲ LES OMBRES DISPARAISSENT
Quand une lumière diffuse éclaire un objet sous différents angles, les ombres et les reflets disparaissent presque complètement.

VÉRIFIEZ !

Pour tirer profit au mieux de la lumière du jour, rappelez-vous que :

❑ un éclairage indirect provenant d'une fenêtre crée des ombres et des reflets légers.
❑ une lumière réfléchie peut apporter un éclairage léger à la face normalement non éclairée d'un objet.
❑ seules les surfaces légèrement colorées réfléchissent la lumière. Les couleurs sombres l'absorbent.

▼ SOURCES DE LUMIÈRE MULTIPLES POUR SCÈNES D'INTÉRIEUR
La lumière du jour éclaire de manière indirecte cette scène d'intérieur. En utilisant deux sources de lumière diffuse provenant de directions opposées, le décor paraît éclairé par une lumière d'une intensité également répartie.

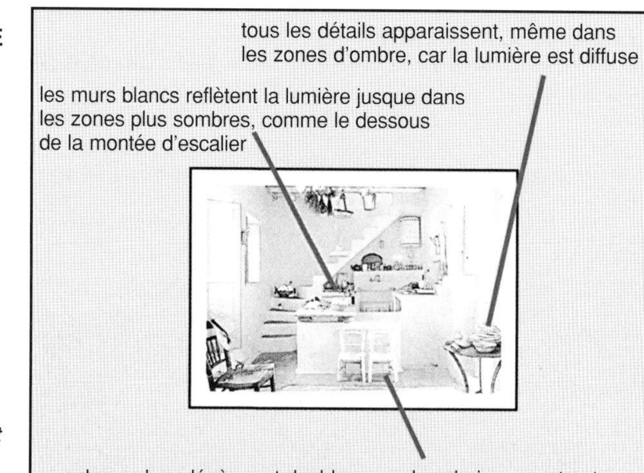

L'éclairage d'un portrait

Dans un portrait, l'élément le plus important est, évidemment, le visage. Tout doit donc lui être subordonné et il faut apporter un soin particulier à son éclairage et au rendu correct de la peau. Par beau temps clair, le soleil, selon sa position par rapport au sujet, crée des conditions d'éclairage différentes.

1 ÉCLAIRAGE AU ZÉNITH

Lorsqu'il se trouve au zénith, vers le milieu de la journée, le soleil donne une lumière "froide" et brutale qui, en raison des ombres profondes qu'elle dessine sous les sourcils, sous le nez et même sous les pommettes, ne convient absolument pas au portrait.

2 CONTRE-JOUR OU ÉCLAIRAGE ARRIÈRE

Ce type d'éclairage, par l'auréole de lumière qu'il dessine sur la chevelure et autour du visage du sujet, représente certainement l'éclairage idéal pour un portrait. Encore faut-il compenser les ombres par l'emploi d'un réflecteur ou en utilisant un flash d'appoint.

3 ÉCLAIRAGE DE FACE

Cet éclairage, donné par le soleil lorsqu'il se trouve derrière le photographe, engendre une image plate, sans aucun modelé. Il provoque en outre un éblouissement qui se traduit par une expression crispée et tendue du visage du modèle.

VÉRIFIEZ !

Rappelez-vous qu'un éclairage direct :

- ❑ crée des zones d'ombre ou au contraire des reflets très brillants.
- ❑ peut être utilisé de manière artistique pour restituer les détails d'un sujet.
- ❑ peut surcharger une photographie de détails.
- ❑ peut être utilisé pour rehausser les contrastes.
- ❑ n'est pas adapté lorsqu'on veut apporter une note de douceur à un portrait.

4 ÉCLAIRAGE LATÉRAL

Il correspond à la position du soleil lorsque ce dernier forme un angle d'environ 20 à 90° avec l'axe de prise de vue et permet, grâce aux ombres qu'il fait apparaître sur le visage, de souligner le relief du sujet. Combiné avec un réflecteur (mur clair, journal, sable, neige...) pour "alléger" les ombres, cet éclairage convient parfaitement au portrait.

1

2

3

4

Lumière réfléchie et réflecteurs

Pour photographier un portrait en intérieur avec une lumière directe provenant d'une fenêtre, il est préférable de disposer d'un réflecteur afin de faire disparaître les ombres les plus importantes.

Utilisés aussi bien en photographie qu'au cinéma, les réflecteurs servent à renvoyer une lumière diffuse et douce sur les ombres lorsque celles-ci présentent une densité excessive.

Réflecteurs naturels et artificiels

Les réflecteurs peuvent être classés en deux grandes catégories : les réflecteurs naturels (murs clairs, sable, neige) et les réflecteurs artificiels.

Parmi cette dernière catégorie, les miroirs ou surfaces de métal finement polies, sont les réflecteurs les plus efficaces, mais la grande "dureté" de la lumière qu'ils renvoient en limite l'emploi à l'éclairage de petits objets situés dans l'ombre.

Les réflecteurs les plus courants sont les réflecteurs argentés qui peuvent être confectionnés à partir d'une feuille de carton ou de contre-plaqué parfaitement plan sur laquelle on colle du papier argenté, de préférence mat.

Le recours à un réflecteur argenté permet de gommer les ombres qui provoqueraient trop de contraste. Cependant, dans des prises de vues comme les portraits, ce matériel risque de conférer aux visages des teintes trop froides. Aussi faut-il leur préférer, dans ce cas précis, des réflecteurs dorés, qui donnent une lumière beaucoup plus chaleureuse. Dans tous les cas, un photographe averti devra rechercher l'éclairage le plus doux possible, diffus ou indirect, en évitant de trop accentuer les contrastes. C'est ainsi qu'il sera en mesure d'obtenir les meilleurs résultats.

Note — Réduire les contrastes en déplaçant l'appareil

Lorsqu'un sujet est très coloré, qu'il s'agisse d'un portrait d'intérieur ou d'une nature morte, il est possible quelquefois de réduire les contrastes entre les couleurs en rapprochant l'appareil photographique du sujet de façon à limiter les reflets.

Comment placer le réflecteur ?

La position du réflecteur par rapport au sujet est importante : la meilleure position, pour un portrait, est de le tenir à la hauteur de la tête du sujet ou légèrement plus haut et à 45° environ. D'autres éléments peuvent aussi servir de réflecteurs : une feuille blanche ou un écran de projection blanc mat. Mais, comme ils réfléchissent la lumière incidente dans toutes les directions, il faut les placer assez près du sujet.

Utiliser des réflecteurs

SANS RÉFLECTEUR
Sans réflecteur, la lumière éclairant latéralement le modèle produit de profondes zones d'ombre sur le visage de la jeune femme. Parce qu'elle est à la fois directe et latérale, la lumière souligne excessivement le grain de la peau.

AVEC UN RÉFLECTEUR ARGENTÉ
Pour faire disparaître les ombres trop accentuées, le photographe a placé un panneau réflecteur de couleur argent sur le côté du visage du modèle opposé à la direction de la lumière. Comme le réflecteur de couleur argent est brillant, la lumière se reflète sur le visage du modèle en lui donnant une teinte un peu froide.

AVEC UN RÉFLECTEUR DORÉ
L'utilisation d'un panneau réflecteur de couleur or donne à cette photographie un effet chaleureux et éclaire le visage du modèle.

Lumière diffuse

Vous pouvez atténuer des ombres dures et des reflets importants créés par une lumière directe en diffusant celle-ci. En photographie d'intérieur, il est assez simple de diffuser une lumière. Si le soleil brille à travers une fenêtre, placez simplement un rideau en voilage ou un drap de coton blanc devant la fenêtre. Si vous collez du papier-calque ou du papier sulfurisé sur une vitre, vous pourrez aussi diffuser la lumière directe.

Il est plus difficile de diffuser la lumière du soleil à l'extérieur, bien qu'avec l'aide d'une autre personne, il soit toujours possible de tendre un drap.

▶ **ÉCLAIRAGE DIRECT**
La lumière arrivant directement par la fenêtre située derrière le modèle produit une zone d'ombre très importante au premier plan masquant la plupart des détails des bras et des jambes de la jeune femme.

▼ **LUMIÈRE DIFFUSE**
En tirant un rideau de voilage devant la fenêtre, le photographe a rendu la lumière plus diffuse. Il a également légèrement fait pivoté le modèle, de façon à ce qu'il y ait moins de contrastes entre les zones d'ombre et de reflets.

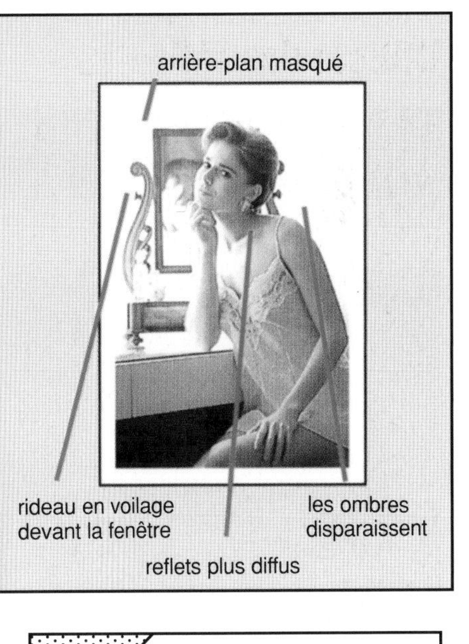

Note

Lumière absorbante

Seules les surfaces légèrement colorées ou brillantes réfléchissent la lumière, les surfaces mates, comme un tableau noir, l'absorbent. Cela peut être utile lorsque la lumière est diffuse et que l'on veut accentuer les zones d'ombre ou donner plus de contraste.

Photographie de nuit

La prise de vues de scènes nocturnes est souvent considérée par les photographes comme délicate en raison du niveau d'éclairement relativement faible.

Pourtant, les possibilités de prises de vues de nuit sont d'autant plus variées que l'émulsion photographique, contrairement à l'œil qui atteint très rapidement son seuil de sensibilité maximum, est douée de la faculté d'accumuler la lumière produite par une pose prolongée. C'est ainsi que l'on peut photographier de nuit des vitrines, des reflets, des enseignes lumineuses, des monuments, des rues éclairées, des phares de voitures, des fêtes foraines, des feux d'artifice, etc.

Le choix de la pellicule à utiliser est relativement peu important car aucun des deux types de pellicules les plus courants (lumières du jour et artificiel) n'est parfaitement équilibré pour la diversité des lumières que l'on rencontre la nuit. Il s'agit plutôt de restituer l'atmosphère de la vie nocturne que le rendu exact des couleurs. Il est tout de même préférable d'employer une pellicule "lumière artificielle" en combinaison avec un filtre du type Kodak Wratten n° 85 ou 85B.

Photographier de nuit

Pour restituer le maximum de détails lorsque l'on prend une photographie de nuit, il faut mesurer la lumière du point le plus brillant de la scène à photographier, noter cette mesure et la vitesse d'obturation à laquelle elle correspond et régler ensuite la vitesse de façon à ce qu'elle soit trois fois plus lente. On peut également se servir d'un posemètre manuel ou du système mesurant la luminosité "à travers l'objectif" intégré à l'appareil photographique.

Si vous utilisez un flash, il faut réduire la vitesse d'obturation et ne pas oublier de charger l'appareil avec une pellicule très sensible. Ainsi, pour photographier une ville de nuit avec un flash, utilisez une pellicule de 400 ASA et réglez le temps de pose à 1/60 s.

▼ QUAND L'HORIZON S'ALLUME
Photographier une scène au crépuscule, lorsqu'il n'y a plus qu'une faible lumière éclairant l'horizon, offre l'avantage de ne prendre que les silhouettes des immeubles. L'utilisation volontaire d'une pellicule adaptée à la lumière du jour donne une teinte verte aux lumières allumées dans les appartements, lumières qui se reflètent de manière très esthétique dans l'eau.

Un studio improvisé chez vous

Un studio à domicile vous permettra de découvrir un monde nouveau où vous pourrez tout à loisir contrôler mieux la lumière et les effets de fond. Une telle installation vous sera très utile pour les portraits et les natures mortes.

Un studio provisoire est facile à mettre en place et vous permettra de faire du meilleur travail, vous laissant libre de créer toutes les photographies que vous souhaiterez.

Choisir l'endroit

Choisissez une pièce que vous ne fréquentez guère et dont les murs ont une couleur neutre - blanc, gris ou crème. La lumière réfléchie par des murs trop colorés pourrait entraîner en effet un phénomène de saturarion.

Le pièce en question devra être aussi éloignée que possible de la rue, de manière à éviter les vibrations dues au trafic automobile, qui pourraient faire bouger votre appareil photographique.

La lumière

Si vous souhaitez utilioser la lumière naturelle, choisissez une pièce avec de grandes fenêtres. Les pièces situées au nord sont idéales parce que les niveaux de lumière et l'orientation des ombres y demeurent presque constants. Si la pièce est orientée au sud, recouvrez les vitres des fenêtres d'un papier qui permettra d'adoucir la lumière.

Sans doute utiliserez-vbous plus simplement une lumière artificielle que vous pourrez contrôler plus facilement, mais vous aurez besoin d'une pièce que vous pourrez assombrir facilement. Un rideau épais fera l'affaire, mais si vous n'en avez pas du caron épais sera adapté. La pièce ne devra pas être entièrement sombre, sauf si vous désirez vous en servir de chambre noire.

▼ ***Un studio vous permettra de prendre des photographies n'importe quand, sans avoir à tenir compte du temps et des conditions de lumière auxquels vous serez soumis à l'extérieur. Le fond, les réflecteurs et les lumières doivent être impérativement mobiles.***

Les dimensions d'un studio

Longueur. La pièce doit être suffisamment longue pour placer l'appareil photographique à une distance raisonnable du sujet, tout dépendant de la longueur de focale que vous utilisez. Par exemple, pour faire un portrait en pied avec un objectif de 105 mm et une pellicule en 35 mm, vous devez éloigner d'une distance de 6 m votre appareil du sujet. Si votre modèle est assis, vous pouvez raccourcir cette distance.

Largeur. La pièce idéale doit comporter suffisamment d'espace libre de chaque côté du champ de prise de vues afin d'y installer les projecteurs.

Hauteur. Un plafond assez bas peut restreindre votre angle de prise de vues et gêner l'installation des projecteurs. Si possible, choisissez une pièce haute de plafond de façon à pouvoir placer un projecteur au-dessus de votre modèle sans risquer de lui brûler les cheveux ! Et de façon également à pouvoir prendre des photographies en vue plongeante.

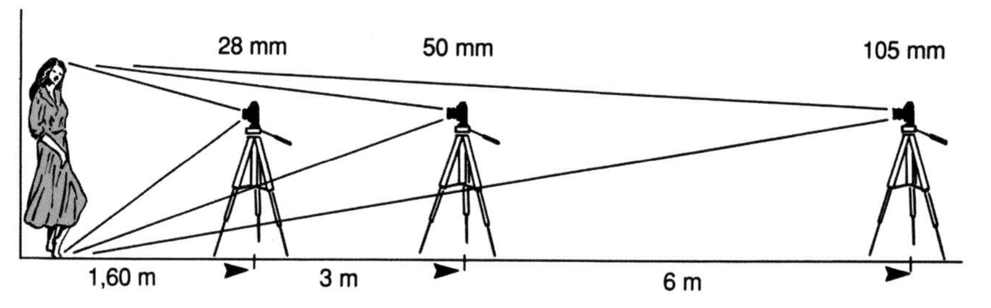

▲ *Trois exemples de prises de vues en studio. La distance entre le sujet et l'appareil photographique varie en fonction du type d'objectif utilisé. Regardez dans le viseur avant de prendre le cliché et assurez-vous que vous cadrez bien l'ensemble du sujet. Avec un objectif grand-angulaire, appelé plus communément "grand angle" de 28 mm de longueur focale, faites attention de ne bien cadrer que votre sujet.*

Aménager un studio improvisé

Aménager le studio prend un certain temps. Commencez par ranger les meubles dans un coin de la pièce.

Le sol doit être bien dégagé et propre. La surface doit être la plus plane et la plus stable possible afin que le trépied de l'appareil photographique et les projecteurs tiennent bien debout — l'idéal est le carrelage ou le parquet. Si une moquette ou un tapis recouvre le sol, disposez de grands panneaux de bois pour donner une base stable au sujet à photographier.

L'arrière-plan. Plutôt que d'acheter du papier spécial pour toile de fond photographique, matériel qui est assez cher, utilisez une couverture ou encore du papier mural. Pour photographier un sujet de petite taille, habillez le dos d'une chaise afin de constituer un bel arrière-plan. Pour un sujet plus important, fixez la couverture ou le rouleau de papier au mur ou encore sur un tableau posé sur deux chaises ou accroché avec des clous.

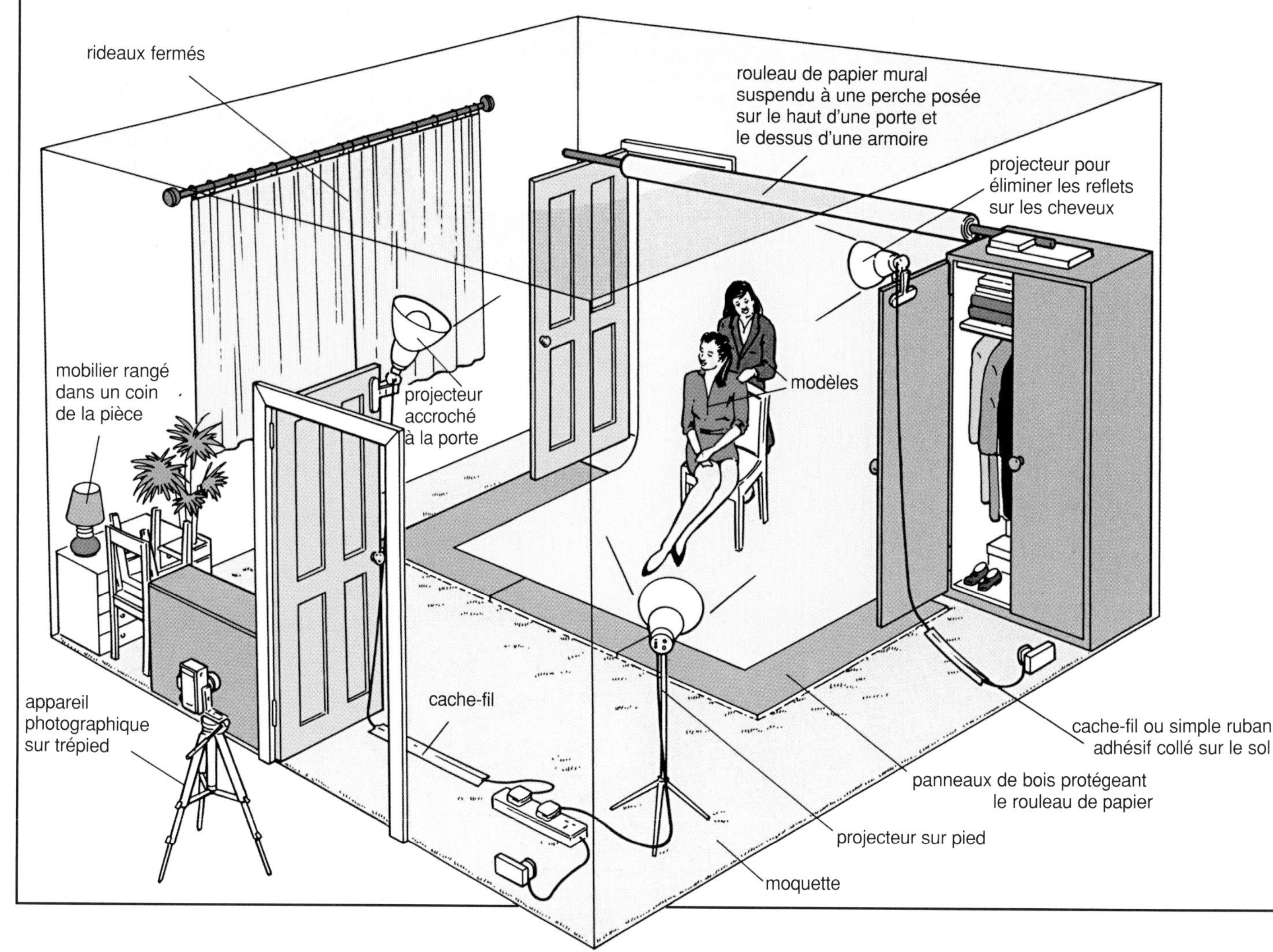

Quelques précautions

❑ Faites attention de ne pas laisser traîner sur le sol des fils dans lesquels vous pourriez vous prendre les pieds.
❑ Isolez tous les appareils électriques.
❑ Achetez une rampe de prises femelles équipée de fusibles afin de ne pas surcharger les câbles électriques avec des prises multiples.
❑ Une fois terminée la séance de prises de vue, débranchez tous les appareils électriques et attendez qu'ils refroidissent avant de les manipuler.

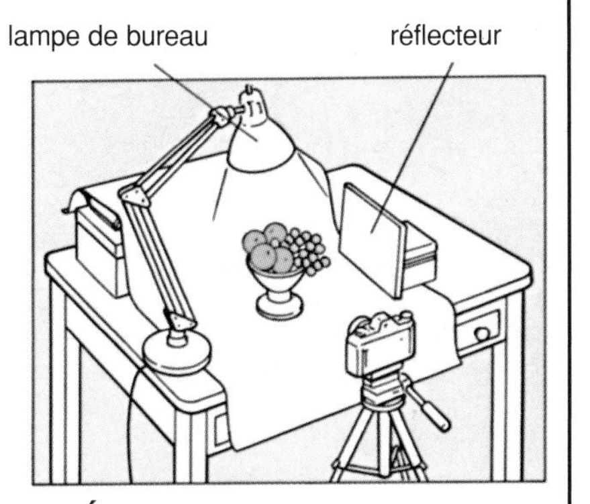

AMÉNAGEMENT SIMPLE
Pour une prise de vue très simple, vous avez juste besoin d'une lampe de bureau, d'un réflecteur et d'une grande feuille de papier. Si le sujet à photographier est très petit, calez l'arrière-plan avec des piles de livres.

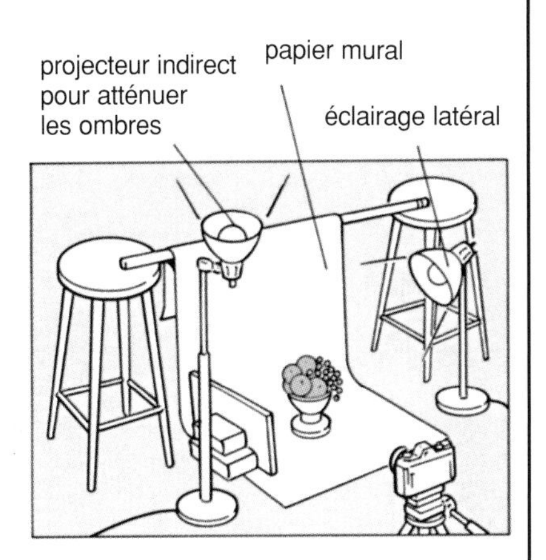

TOILE DE FOND SUSPENDUE
Si vous désirez photographier le sujet avec une vue plongeante, vous pouvez suspendre votre toile de fond sur un manche à balai posé sur deux tabourets.

Éclairage artificiel

Les lampes à incandescence ou les lampes quartz-halogènes ne fonctionnent efficacement que si elles sont montées dans des projecteurs spécialement conçus à cet usage.

Flash de studio. L'éclair est provoqué par la décharge brusque de l'énergie électrique emmagasinée dans un condensateur, à l'intérieur d'un tube empli d'un gaz rare, le xénon. Pour que l'éclair jaillisse, il faut ioniser le xénon, c'est-à-dire le rendre conducteur du courant, par une brève impulsion électrique fournie par un circuit d'allumage ou de synchronisation.

Flash portables. Très utiles, ils sont moins puissants que les flash de studio généralement montés sur pied. Pour visualiser leur effet et savoir comment et où les placer, on peut, avant de les faire fonctionner, utiliser une simple lampe de bureau afin d'avoir une idée de la zone qui sera éclairée lors du déclenchement du flash.

▲ *Flash amovibles*

Lampes d'ambiance. Elles sont placées dans de larges réflecteurs peints en blanc, ayant la forme d'une calotte sphérique. L'ampoule est pourvue d'un cache-lampe se fixant directement par ressorts sur le ballon de la lampe et masquant la lumière directe du filament. Sur d'autres modèles de projecteurs d'ambiance, la diffusion de la lumière est obtenue grâce à un écran diffuseur de matière plastique translucide ou de tissu en fibre de verre.

Projecteurs spots. Ils permettent de diriger vers le sujet un faisceau de lumière très concentré. Un spot se présente comme un boîtier métallique contenant une ampoule sphérique vissée culot en bas. À l'avant du projecteur, on trouve le système optique, une lentille de Fresnel ou une lentille plan-convexe. Les spots de 100 à 1000 W fonctionnent avec des lampes épiscopiques ; sur les spots de 2 000, 5 000 et 10 000 W, la lampe est dépourvue de miroir. Le filament de la lampe peut être centré, approché ou éloigné de la lentille grâce à une douille réglable commandée par un bouton moleté situé à l'arrière du boîtier. Un spot donne un éclairage dirigé avec des ombres aux contours bien nets. Pour éclairer le sujet, un seul spot suffit, complété par des projecteurs d'ambiance et d'autres projecteurs pour réaliser des effets sur le sujet ou sur le fond.

▲ *Un projecteur à lampe photoflood est utilisé avec un réflecteur-parapluie*

"Floods" et lampes quartz-halogènes. Elles ne se montent que sur des matériels d'éclairage spécialement conçus pour cet emploi. Pour certaines utilisations — photographie à faible distance en particulier — on se sert d'une torche quartz-halogène munie d'une poignée. Ce modèle a été à l'origine spécialement prévu pour le cinéma amateur. Plusieurs modèles portables sont alimentés en courant basse-tension (24 V) par une batterie d'accumulateurs cadmium-nickel.

Avec ce type de lampe, il est conseillé de monter — en plus du réflecteur métallique ou plastique monté normalement sur le projecteur — un réflecteur plus large, comme un grand panneau blanc en carton ou en polystyrène. On peut également utiliser une feuille de papier d'aluminium pour donner une lumière plus crue.

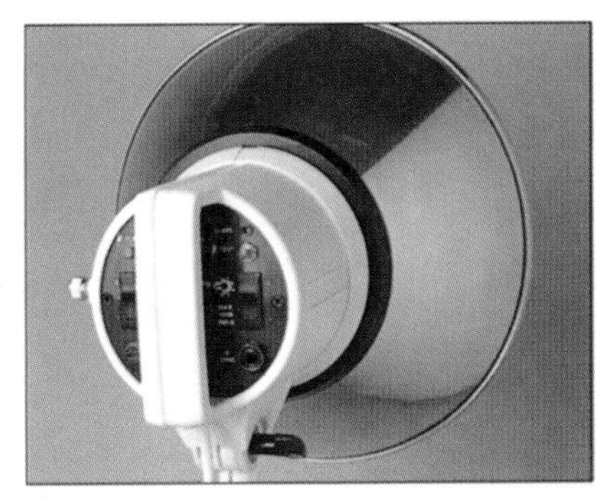
▲ *Arrière du boîtier d'un flash de studio*

Lumière douce

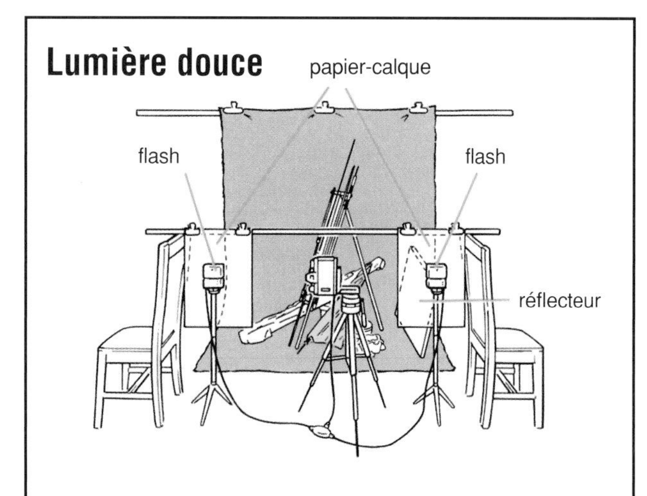

Pour atténuer l'éclairage d'un sujet à photographier — en particulier une nature morte —, installez deux flash de chaque côté de l'appareil photographique et placez à 50 cm au moins devant eux des feuilles de papier-calque.

▲ ***Pas besoin de disposer d'un studio luxueux pour réaliser d'excellentes prises de vues : rappelez-vous que c'est ce qu'il y a sur la photographie qui compte et non pas le studio qui l'entourait lorsqu'elle a été prise. Les décors, les accessoires et même les réflecteurs improvisés ou "bricolés" disparaissent quand on presse le bouton du déclencheur.***

Ce dont vous avez besoin :

Plutôt que d'acheter des équipements neufs de photographie en studio, achetez du matériel d'occasion ou réalisez vous-même les équipements dont vous avez besoin.

Équipement de base :

- ❑ **Trépied**
- ❑ **Projecteur et pied de projecteur**
- ❑ **Rallonges électriques et rampe avec fusibles de prises femelles**
- ❑ **Ruban adhésif isolant**
- ❑ **Cache-fil**
- ❑ **Couvertures permettant de masquer une fenêtre**
- ❑ **Rouleau de papier ou couverture unie pour servir de toile de fond**
- ❑ **Réflecteurs**
- ❑ **Crochets, agrafes et pinces pour fixer les réflecteurs**
- ❑ **Câble permettant de synchroniser les flash**

Équipements supplémentaires :

- ❑ **Filtre Kodak Wratten 80A**
- ❑ **Déclencheur souple**
- ❑ **Carte grise neutre**
- ❑ **Niveau à bulle**
- ❑ **Réflecteur-parapluie de studio**

Choisir la bonne pellicule

Utilisez une pellicule normale si vous prenez des photographies de jour ou avec un flash. Si vous vous servez d'un projecteur à lampe photoflood, achetez une pellicule spéciale ou placez un filtre bleu Kodak Wratten 80A devant votre objectif pour éviter d'avoir une dominante de couleur orange sur les photographies prises avec une pellicule adaptée à la lumière du jour.

Lumière artificielle

De nombreux photographes professionnels utilisent à la fois des projecteurs à lampe à incandescence et des flash. En réalité, il est possible de se contenter de l'un des deux matériels seulement car les lampes à incandescence coûtent un peu moins cher que les flash électroniques et fournissent un éclairage aussi efficace que les flash, sinon meilleur.

En théorie, le concept de lumière artificielle comprend toutes les sources d'éclairage créées par l'homme pour se substituer à la lumière naturelle ou la compléter. Dans le domaine photographique, cette notion désigne un type d'éclairage bien précis.

La lumière artificielle peut être produite par des lampes à filament incandescent — lampes domestiques, lampes survoltées du type Photoflood ou Photolita, lampes quartz-halogènes et spots de studio — ou par des lampes flash — flash éclair ou flash électronique —, ou encore par des lampes à tubes fluorescents, plus rares en photographie.

De nombreux amateurs manifestent encore une certaine hésitation et des préjugés face à ces types de lampes qui leur semblent souvent chères et d'une utilisation complexe. Pourtant, la complexité n'est qu'apparente et les prix ont considérablement baissé depuis une vingtaine d'années.

Le seul problème pour quelqu'un qui débute dans la photographie en studio est peut-être de faire un choix entre éclairage à lampes à incandescence et éclairage par flash.

Par rapport aux lampes flash, les lampes à incandescence offrent de nombreux avantages. Non seulement elles sont moins chères, mais aussi, elles sont d'une utilisation plus facile. Tout d'abord, elles fournissent un éclairage constant : on peut donc se rendre compte immédiatement de leur effet et effectuer des réglages très précis de luminosité sur l'appareil photo-graphique au moyen du posemètre généralement intégré aux appareils modernes. Mais surtout, les projec-teurs à lampe à incandescence sont adaptés à certaines prises de vues.

▲ ***Un ensemble de projecteurs à lampe à incandescence ou à lampe photoflood est relativement bon marché et ne coûte guère plus cher qu'un flash de studio. Ces projecteurs sont également d'un emploi beaucoup plus souple qu'un simple flash.***

▶ ***Tous les portraits des grandes stars d'Holywood des années 1930 et 1940 ont été réalisés avec des projecteurs à lampe à filament de tungstène, comme cette photographie de Vivien Leigh. La qualité de la lumière fournie par ces projecteurs est encore aujourd'hui appréciée par la plupart des grands photographes-portraitistes.***

Types de lampes à incandescence

▲ *Les lampes "Photopearl", "Cent heures" ou "Nitraphot" brûlent à une température de couleur de 3 200 degrés Kelvin et produisent une lumière plus rouge que celle des projecteurs à lampe incandescente. Les lampes incandescente de type B sont conçues pour brûler à cette température de couleur.*

▲ *Les projecteurs à lampe incandescente ne coûtent pas très cher. Les variations de couleur dans la lumière qu'ils fournissent sont négligeables depuis la commercialisation de pellicules donnant des couleurs plus chaudes. Pour atténuer ces variations de couleur, on peut également utiliser des filtres spéciaux.*

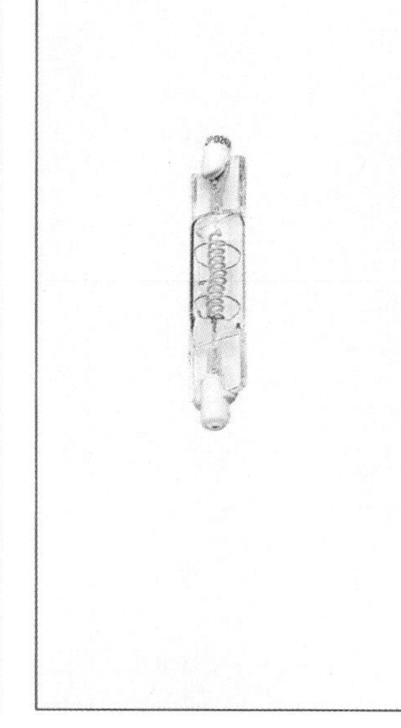

▲ *Les lampes quartz-halogènes produisent une lumière plus forte et durent plus longtemps que les lampes incandescentes classiques. Il faut cependant être extrêmement vigilant en manipulant ces lampes et ne pas toucher avec les doigts le quartz de la lampe.*

Position des broches

Les lampes quartz-halogènes à filament de tungstène sont de deux types : les lampes simples à deux broches et les lampes à deux doubles broches. Les premières doivent être fixées en position verticale, les secondes, en position horizontale. Il est important pour votre sécurité et pour la durée de vie des lampes que vous veilliez à les mettre correctement en position.

Elles sont constituées d'un filament de tungstène à l'intérieur d'une ampoule étanche emplie d'un gaz rare (argon, krypton ou xénon). Il existe trois grands types de lampes à incandescence.

Les lampes Photopearl, d'un aspect identique aux ampoules domestiques, fournissent un flux moyen de 20 lumens (lm) par watt et possèdent un filament qui, légèrement survolté, est porté à une température de couleur (Tc) de 3 200 °Kelvin. Leur durée de vie varie entre 30 et 100 heures. Le modèle 1 000 W est muni d'un culot à vis Goliath ; la lampe de 500 W peut être du modèle à miroir incorporé et s'utiliser alors sans réflecteur indépendant.

Les lampes photofloods, souvent appelées plus communément des "floods", très survoltées, ont une température de couleur de 3 400 °K. Le flux lumineux atteint 32 lm par watt, soit 16 000 lm pour le modèle 500 W. Leur durée de vie est limitée à 3 heures environ ; les lampes photofloods de 250 et 500 W existent également à miroir incorporé. Les Photopearl comme les "Floods" présentent des inconvénients : elles sont fragiles et encombrantes, leur Tc diminue assez rapidement par vieillissement et le filament de tungstène s'évapore en recouvrant la face intérieure du ballon de verre d'un dépôt jaunâtre.

Les lampes quartz-halogènes — ou **lampes QI** (Quartz-Iode) — sont des lampes à filament de tungstène très compact placé dans un tube de silice contenant des particules d'iode (un halogène). Le principe de fonctionnement des lampes quartz-halogènes est le suivant : le filament de tungstène, porté à très haute température par résistance électrique (3 200 à 3 400 °K) se sublime lentement, c'est-à-dire qu'il passe directement de l'état solide à l'état gazeux, comme pour une lampe ordinaire, mais, contrairement à celle-ci, au lieu de se déposer sur la face intérieure du ballon, le tungstène vaporisé se combine à la vapeur chaude d'iode. Les vapeurs mélangées de tungstène et d'iode sont alors attirées vers le point le plus chaud de la lampe, le filament lui-même, que le tungstène régénère continuellement. Ce type de lampe offre de nombreux avantages : le ballon de silice reste toujours transparent, la Tc et le flux lumineux demeurent constants jusqu'à la rupture du filament, la durée de vie est augmentée (de 75 à 2 000 heures). Elles sont cependant fragiles et ne doivent pas être manipulées à mains nues, de légères traces de sueur pouvant provoquer l'éclatement ultérieur de la lampe lors de la mise sous tension.

Qu'est-ce qu'une lampe incandescente à filament de tungstène ?

RETOUR AUX BASES

Une lampe à incandescence à filament de tungstène est une source de lumière incandescente. Cela signifie qu'elle produit de la lumière lorsqu'elle chauffe. Il existe différents types de lampes incandescentes, mais elles fonctionnent toutes selon le même principe.

La lampe comporte une ampoule transparente abritant un filament en tungstène lui-même relié à un branchement électrique. Lorsque l'électricité est allumée, le courant passe dans le filament en tungstène et chauffe celui-ci.

En chauffant, le filament émet une lumière brillante.

Certaines lampes incandescentes possèdent un filament enroulé en spirale ; d'autres, au contraire, ont un filament droit. Les lampes avec un filament en spirale diffusent une lumière très intense.

Lampes à incandescence et accessoires

S'équiper de deux projecteurs à lampe à incandescence permet de se familiariser avec les bases de la photographie en studio. En y ajoutant quelques accessoires, vous pourrez alors vous lancer plus à fond dans la photographie artistique.

▼ ***Quelques fabricants vendent les projecteurs à lampe incandescente sous forme de kits. Cette formule est intéressante car le kit comprend tous les types de projecteurs et les accessoires dont vous pouvez avoir besoin pour débuter dans la photographie en studio.***

▶ ***Des volets coupe-flux peuvent être fixés sur les projecteurs pour contrôler la direction et la répartition de la lumière.***

L'un des avantages de se doter de projecteurs à lampe à incandescence et non pas de lampes flash est un avantage financier. Les projecteurs à lampe à incandescence coûtent en effet moins cher que les lampes flash. Avec la différence de prix, vous pourrez alors acheter divers accessoires très utiles, comme des pieds de projecteurs, des réflecteurs de différentes tailles, des porte-filtres.

Par ailleurs, les projecteurs à incandescence vous permettant d'explorer presque toute la gamme des techniques d'éclairage photographique et de prendre des sujets très variés. Mais vous atteindrez très vite les limites de votre art si vous ne disposez pas de certains accessoires absolument nécessaires, comme un porte-filtre, un objet très simple mais particulièrement utile pour fixer devant la lampe une lame optique de verre ou de gélatine destinée à équilibrer la température de couleur d'une lampe à incandescence.

De la même manière, les perches-girafes pour fixer une lampe, les pieds, les volets coupe-flux, les réflecteurs simples et les réflecteurs-parapluies vous seront d'un grand secours pour contrôler l'orientation, l'intensité et la qualité de la lumière.

Quelques accessoires pour un meilleur éclairage

Réflecteurs. Ils peuvent être de différentes formes et de différentes tailles et sont destinés à altérer l'intensité et la qualité de la lumière, vous permettant ainsi de choisir entre un éclairage dur et un éclairage doux. Faites attention : certains réflecteurs sont adaptés à certains types de lampes à incandescence seulement.

Parapluie-réflecteur. Cet objet est très utile pour adoucir la lumière d'une lampe à incandescence. Il existe également des réflecteurs-parapluie translucides.

Volets coupe-flux. Il s'agit de pièces de métal ou de plastique articulées que l'on fixe sur les côtés du réflecteur ou du boîtier d'un projecteur à lampe à incandescence. En les ouvrant ou en les fermant, on peut ainsi contrôler la quantité de lumière fournie par le projecteur.

Nez optique. Cet accessoire est destiné à limiter le faisceau de lumière projeté et à lui donner une certaine forme grâce à une fente aménagée dans le "nez" qui permet d'introduire des caches métalliques découpés selon des formes variées et avec lesquels on peut projeter une image nette ou floue sur le fond, derrière le sujet.

Porte-filtre. C'est un simple cadre en métal fixé sur le pied du projecteur ou sur le réflecteur, que l'on place devant la lampe et dans lequel on introduit des lames optiques de verre ou de gélatine.

Pied de projecteur. Ils permettent de déplacer facilement le projecteur. Ils doivent être légers, repliables ou télescopiques, pratiques et très stables. Il existe également des pieds-supports à roulettes pouvant être placés à la hauteur désirée selon l'inclinaison requise. Les grands studios sont équipés d'une rampe de réflecteurs — une herse — suspendus au plafond.

Filtres-diffuseurs. Ils peuvent être confectionnés à partir de simples feuilles de papier-calque ou de bandes de gaze. Placés devant la lampe, ces filtres-diffuseurs réduisent la brillance de la lumière sans affecter sa qualité ou sa couleur de température.

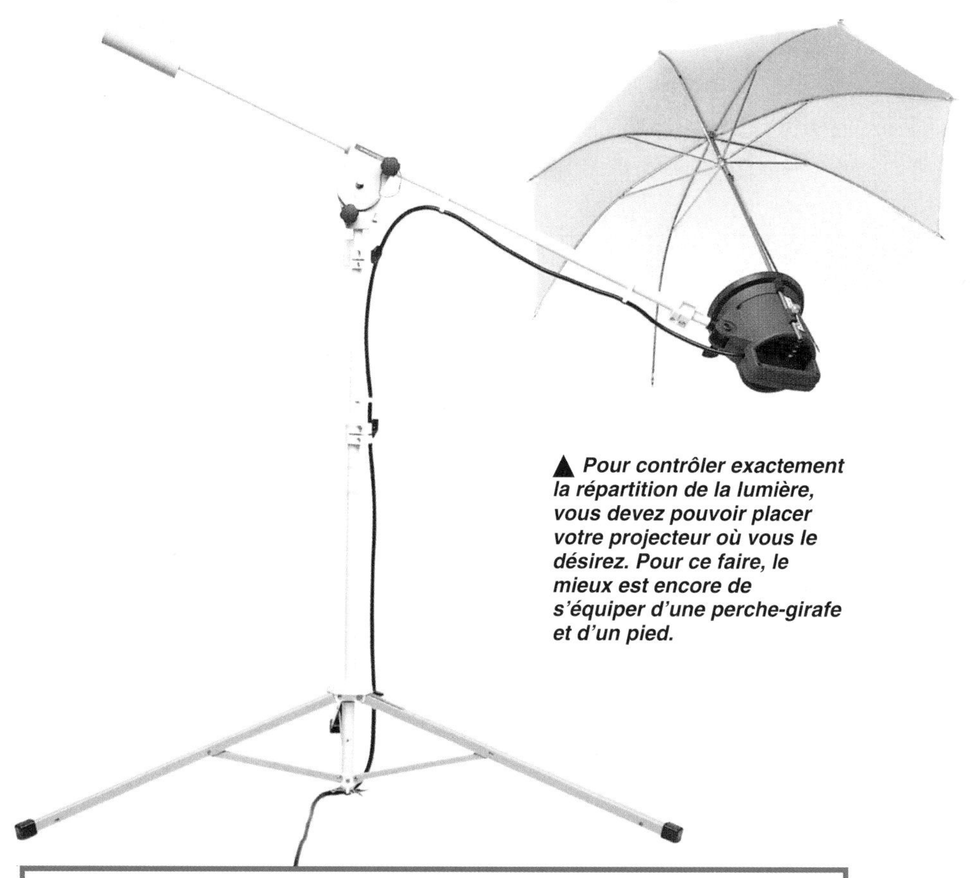

▲ *Pour contrôler exactement la répartition de la lumière, vous devez pouvoir placer votre projecteur où vous le désirez. Pour ce faire, le mieux est encore de s'équiper d'une perche-girafe et d'un pied.*

Les réflecteurs

Les réflecteurs, quelque soit leur type, affectent la qualité de la lumière éclairant un sujet. Les réflecteurs recouverts d'une peinture métallisée brillante donnent une lumière beaucoup plus crue que ceux qui sont recouverts de peinture blanche mate. Les réflecteurs d'un diamètre étroit concentrent la lumière sur un point précis, à la différence de ceux qui possèdent un diamètre plus large. Les grands réflecteurs équipés d'un cache devant la lampe donnent quant à eux une lumière indirecte très douce. C'est ce type de réflecteur qui est généralement adopté par la plupart des photographes spécialisés dans la photographie de charme.

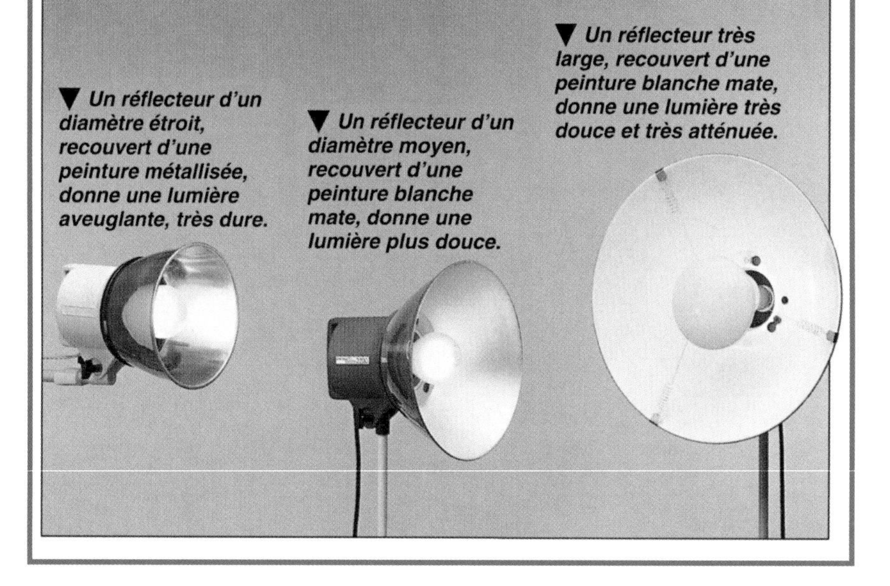

▼ *Un réflecteur d'un diamètre étroit, recouvert d'une peinture métallisée, donne une lumière aveuglante, très dure.*

▼ *Un réflecteur d'un diamètre moyen, recouvert d'une peinture blanche mate, donne une lumière plus douce.*

▼ *Un réflecteur très large, recouvert d'une peinture blanche mate, donne une lumière très douce et très atténuée.*

◀ *Un réflecteur-parapluie translucide est souvent utilisé pour adoucir la lumière des projecteurs à lampe incandescente afin de donner moins de relief à un portrait ou de rendre plus perceptibles les détails d'une nature morte.*

▼ *Pour filtrer la lumière d'un projecteur à lampe incandescente, équipez-vous d'un porte-filtre. Celui-ci vous permet de placer des filtres photographiques devant la lampe. Sinon, utilisez des pinces pour attacher ces filtres.*

▶ *Le meilleur moyen de contrôler la direction et la répartition de la lumière produite par un projecteur est de l'équiper de volets coupe-flux.*

▼ *On peut également réaliser un filtre avec du papier calque ou de la gaze. Il est toujours préférable de fixer les filtres aux volets coupe-flux plutôt que directement devant la lampe. Le filtre dure plus longtemps et la diffusion de la lumière est plus régulière.*

Photographier avec des projecteurs à lampe à incandescence

Avant de manipuler pour la première fois un projecteur à lampe à incandescence, vous devez suivre certaines recommandations. Tout d'abord, les projecteurs à lampe à incandescence dégagent de la chaleur et ne sont donc pas forcément adaptés pour photographier tous les types de sujets sensibles à la chaleur.

Mesurer le temps de pose ne représente pas vraiment le point le plus important — ni le plus délicat — avec ce genre d'éclairage car toutes les pellicules actuelles sont étalonnées à la même vitesse pour servir aussi bien avec un éclairage naturel qu'avec un éclairage artificiel. Mais si vos photographies sont tout de même sous-exposées — ce qui peut arriver avec des émulsions fabriquées dans les pays d'Europe de l'Est ou en Chine —, ajoutez une demi-division à votre réglage de temps de pose.

Quelques conseils

Exception faite des projecteurs à lampe à incandescence très sophistiqués et très chers qui équipent les grands studios professionnels, les projecteurs classiques peuvent produire une lumière présentant certains défauts, comme une profondeur de champ trop sombre ou des zones floues sur les sujets. Pour remédier à ces petits problèmes :

❏ Chargez votre appareil avec une pellicule à émulsion rapide. Vous pourrez alors diminuer l'ouverture du diaphragme pour donner plus de profondeur de champ et augmenter la vitesse d'obturation afin d'éviter que de légers tremblements de l'appareil photographique ne créent des zones floues sur le sujet.

❏ Choisissez de préférence une pellicule couleur adaptée à un éclairage artificiel. Vous n'aurez pas besoin d'ajouter des filtres de couleur.

❏ Utilisez toujours un trépied stable pour y fixer votre appareil photographique.

Pour améliorer la qualité d'une image, vous devez également être en mesure de diminuer la brillance de la lumière projetée sur le sujet. Dans ce but :

❏ Rapprochez ou éloignez les projecteurs du sujet.

❏ Équipez vos projecteurs de lampes de différentes intensités.

❏ Placez un filtre-diffuseur devant les lampes des projecteurs.

❏ Utilisez des filtres neutres pour réduire la brillance de la lumière projetée sur le sujet.

▲ ***Un porte-filtre vous permet d'utiliser différents types de filtres afin d'altérer la lumière du projecteur. Avec un peu d'imagination, vous pouvez même réaliser des photographies très colorées. Pour prendre ce cliché, le photographe a choisi une vitesse d'obturation très lente.***

Consignes de sécurité

RETOUR AUX BASES

Un projecteur à lampe incandescente est bon marché et simple d'utilisation mais il peut aussi être très dangereux si l'on ne respecte pas quelques règles de sécurité :

❏ Éloignez les matériaux inflammables des projecteurs.

❏ Pour faire des portraits, placez un grillage métallique de protection devant la lampe du projecteur — si la lampe éclate, le verre ne blessera pas votre modèle.

❏ Utilisez des réflecteurs-parapluies ininflammables.

❏ Ne branchez pas une lampe photographique à filament de tungstène dans une douille prévue pour une ampoule domestique. Même si les culots des ampoule sont les mêmes, les douilles des lampes domestiques ne sont pas conçues pour supporter la chaleur dégagées par une lampe photographique et peuvent fondre.

❏ Ne touchez pas la lampe, le boitier ou le réflecteur lorsque la lampe est branchée, vous pourriez vous brûler. Équipez-vous plutôt d'un projecteur dont le boîtier est en plastique résistant à la chaleur, moins conducteur que les boîtiers métalliques.

❏ Ne dévissez pas les lampes quand elles sont chaudes, vous pourriez abîmer le filament.

❏ Faites attention de ne pas endommager votre installation électrique domestique en branchant des projecteurs à lampe incandescente trop puissants.

❏ Immédiatement après l'avoir utilisée, ne rangez pas une lampe à filament de tungstène dans son emballage carton. La chaleur qu'elle dégage encore, même très faible, pourrait provoquer un incendie.

Utiliser un flash amovible en studio

Lorsque l'on prend des photographies au flash en studio, il est primordial de toujours contrôler la luminosité. En séparant le flash de l'appareil photographique, on gagne alors en souplesse d'emploi et en créativité.

La manière la plus simple et la plus pratique d'utiliser un flash, c'est bien sûr de le fixer sur l'appareil photographique — ou de se servir du flash intégré sur les appareils modernes. Il s'agit là de la manière la moins intéressante car un flash dans le plan de l'appareil donne un éclairage plat et brutal et engendre souvent des ombres désagréables ou un phénomène dit des "yeux rouges".

Flash en extension

Utiliser un flash en extension consiste à placer le flash hors du plan de l'appareil photographique grâce à un câble prolongateur, ce qui donne des possibilités d'éclairage beaucoup plus intéressantes. La position idéale du flash est alors légèrement au-dessus du sujet, dans un plan formant un angle de 30° environ avec l'axe de prise de vues de l'appareil photographique, sans oublier d'installer, face au flash, un réflecteur qui permet d'éclairer les ombres. Il est également possible de l'utiliser sans réflecteur afin de créer un éclairage doux et modelé plus naturel que celui diffusé par le réflecteur, la lumière se réfléchissant sur les murs de la pièce renvoyant ainsi sur le sujet une lumière douce et diffuse qui donnera aux ombres plus de légèreté.

"Bounce flash" ou flash indirect

La technique du flash indirect dite également "bounce flash" revient à éclairer indirectement le sujet par la lumière d'une lampe-flash réfléchie sur une surface claire — murs, rideaux, plafond, réflecteurs, etc. Son principal avantage, en particulier pour les portraits, est de

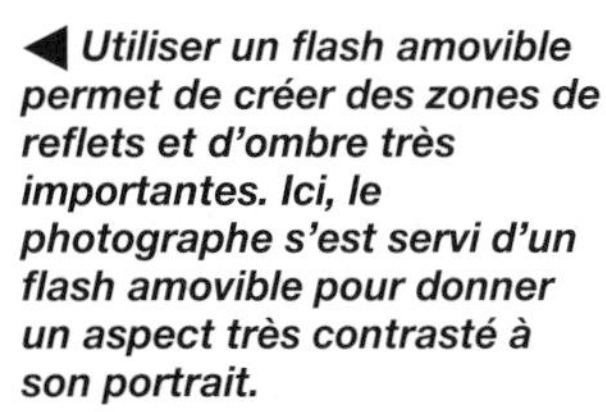

◀ ***Utiliser un flash amovible permet de créer des zones de reflets et d'ombre très importantes. Ici, le photographe s'est servi d'un flash amovible pour donner un aspect très contrasté à son portrait.***

Boîtier "esclave"

Même si vous possédez un appareil photographique équipé d'un flash intégré, il est préférable de vous acheter aussi un flash d'appoint. Il est possible de synchroniser le flash et l'appareil photographique avec un câble et un adaptateur si votre appareil photographique ne dispose pas de prise pour y brancher le câble de synchronisation.

Vous pouvez également vous équiper d'un boîtier "esclave" afin de mettre à feu les flash supplémentaires à distance, sans fil. Le boîtier "esclave" est muni d'une photocellule provoquant l'ignition du flash.

Flash fixé

Flash fixé sur l'appareil photographique

Un portrait réalisé avec un flash fixé sur l'appareil photographique a très peu de relief : le visage paraît aplati par la lumière frontale et une zone d'ombre se forme derrière le sujet. Tenir le flash à une distance redonne de l'expression au visage.

Flash indépendant

Flash indépendant de l'appareil

Flash indirect

Position 1

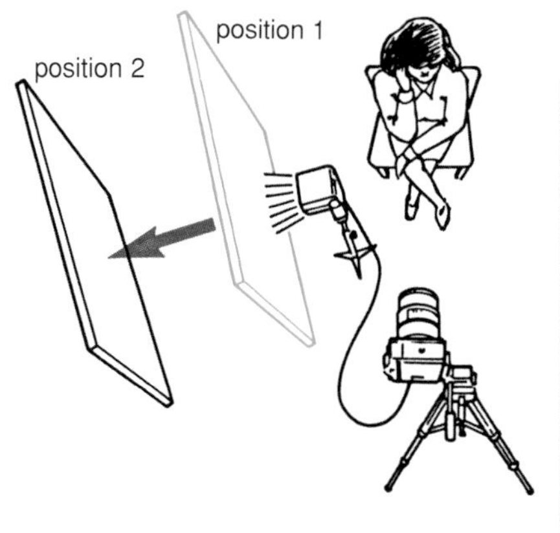

Placer le flash juste devant un réflecteur accroît l'effet du flash mais la lumière éclairant le sujet est toujours très dure (position 1). En éloignant le flash du réflecteur, on accroît davantage l'effet du flash et la lumière éclairant le sujet est beaucoup plus douce et atténuée.

Position 2

donner une lumière douce et diffuse.

La lumière est également mieux répartie en profondeur et l'on obtient des résultats quasiment parfaits si l'on oriente le flash obliquement vers le plafond en le tenant à un mètre de ce dernier environ. Veillez cependant, d'une part, à ne pas orienter le flash juste au-dessus du sujet pour ne pas créer des ombres dures sous les yeux, le menton et le nez du sujet, d'autre part, à ce que la couleur du plafond, si elle est trop marquée, n'entraîne des dominantes parasites sur la photographie. Autrement dit, le flash indirect ne doit être utilisé que sur des surfaces d'un blanc mat, sauf si vous désirez donner des effets spéciaux à votre photographie.

La bonne exposition dépend des dimensions de la pièce et de la distance aller et retour parcourue par la lumière. Généralement, on ouvre le diaphragme de deux à trois divisions par rapport à l'ouverture correcte normalement utilisée pour photographier le même sujet sous un éclairage direct.

Flash et filtre diffuseur

Position 1

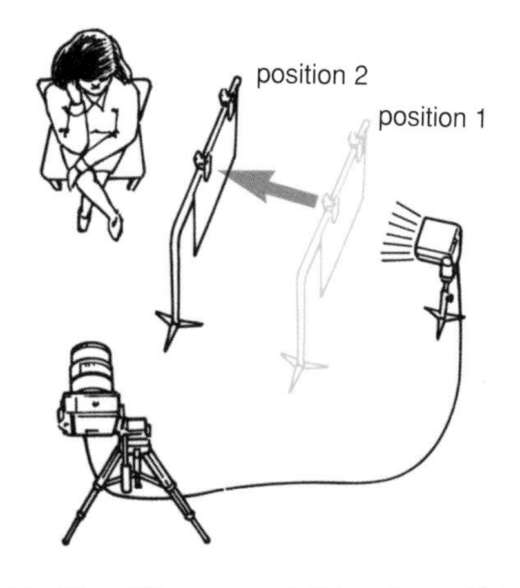

Un filtre diffuseur produit le même effet qu'un réflecteur — vous pouvez d'ailleurs utiliser l'un ou l'autre, à votre guise. Placez le filtre diffuseur très près du flash et assez loin du sujet pour obtenir une lumière assez crue (position 1). Éloignez le filtre diffuseur du flash et rapprochez-le du sujet pour obtenir une lumière plus douce (position 2).

Position 2

Ajouter un flash

En ajoutant un flash vous pouvez réaliser toute une gamme d'effets. Avec une simple prise en "Y", vous pouvez en effet coupler deux flash. Essayez plusieurs positions pour trouver exactement la luminosité que vous désirez obtenir. Un flash supplémentaire placé derrière la tête de votre modèle donne un brillant particulier à la chevelure de celui-ci.

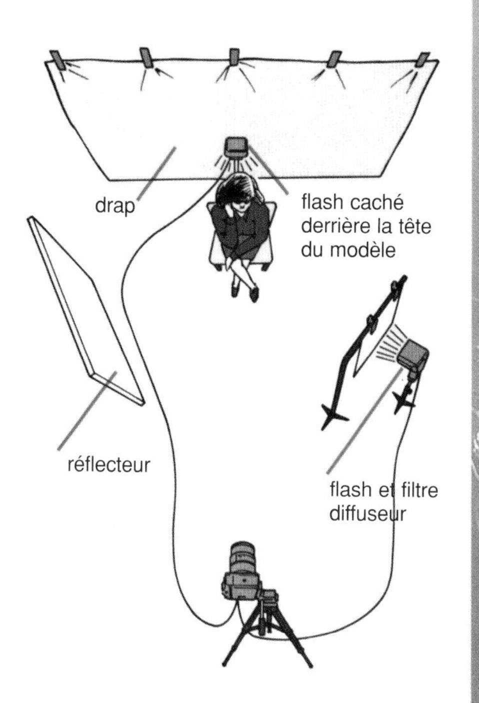

Éclairage doux

Un flash supplémentaire permet d'adoucir l'éclairage. Vous pouvez également utiliser un filtre diffuseur placé devant le flash principal afin d'atténuer l'éclair du flash et diriger un second flash vers un réflecteur pour faire disparaître les ombres. Il faut évidemment synchroniser les deux flash en les reliant au moyen d'une prise en "Y".

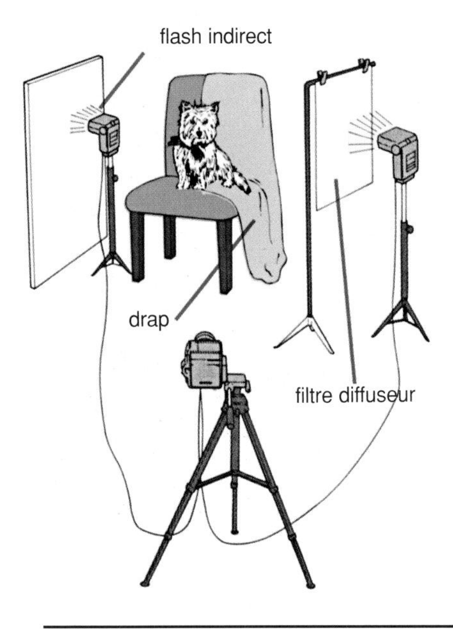

▶ Pour réaliser cette photographie, un flash et un filtre diffuseur ont été utilisés en combinaison avec un flash indirect fournissant une lumière d'appoint qui fait disparaître les ombres. Lorsqu'on photographie des bêtes, il est préférable que quelqu'un se tienne derrière le photographe afin de capter l'attention de l'animal et d'éviter qu'il ne regarde le flash.

Nature morte

Un dispositif identique, comprenant deux flash amovibles peut aussi être utilisé pour photographier une nature morte. Comme vous disposez de temps entre chaque prise de vue, vous pouvez ainsi essayer plusieurs types d'éclairage. Par exemple, il est possible d'éclairer un arrière-plan afin de faire ressortir les contours des objets composant une nature morte.

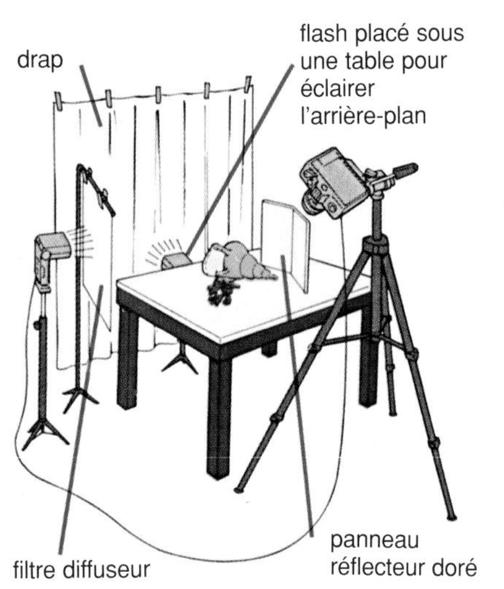

▶ Pour prendre cette nature morte, le photographe a placé un flash sous la table et l'a dirigé vers l'arrière-plan afin de créer un halo de lumière qui, souligne les forme du coquillage.

Choisissez l'importance du grain

Avec de la pratique, vous parviendrez très vite à trouver quelle est la technique qui vous donne le meilleur résultat. Vous découvrirez également à quel point le grain d'une photographie dépend étroitement de la rapidité du film utilisé. N'oubliez pas non plus que le grain d'une photographie varie d'un type de film à l'autre. Aussi, vous avez tout intérêt à faire des essais avec différentes marques de pellicules.

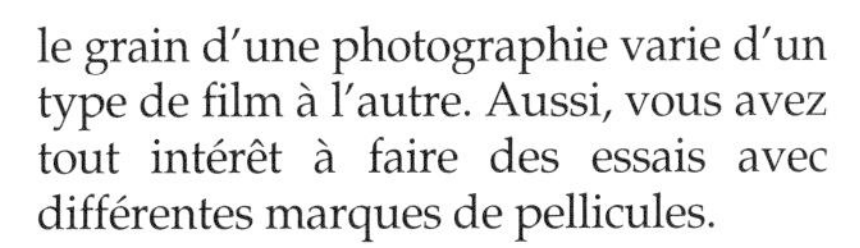

▶ ***La photographie originale a été prise avec une pellicule papier de 400 ISO. Le grain est à peine visible.***

▲ ***Ce détail de la photographie originale a été agrandi 20 fois. Le grain apparaît sur les surfaces d'un seul ton de couleur. Il est moins visible ailleurs.***

▲ ***La photographie a été prise avec un film de 1600 ISO mais en réglant l'appareil sur 3200 ISO. Le grain apparaît plus nettement alors que de nombreux détails de l'image originale disparaissent.***

▲ ***Avec un film de 3200 ISO, le grain est légèrement moins visible qu'avec un film de 1600 ISO et un réglage de l'appareil sur 3200 ISO.***

▲▶ ***L'image originale — ci-dessus — a été prise avec un film diapositive de 100 ISO. Pour en accentuer le grain, la diapositive a été copiée en laboratoire sur un film papier de 3200 ISO et un agrandissement a été réalisé. Sur la photographie finale — ci-contre — le grain est beaucoup plus visible et les couleurs sont moins saturées.***

Modifier le cadrage

Modifier le cadrage d'un agrandissement permet dans beaucoup de cas d'accroître l'impact que vous souhaitez lui donner.Vous pourrez ainsi obtenir des résultats dont vous serez fier.

Certains photographes n'apprécient guère la technique du recadrage à l'agrandissement, estimant qu'il vaut mieux bien cadrer une image au moment où on la réalise. Il est vrai que lorsque l'on procède au tirage de l'ensemble d'un négatif, on parvient à une meilleure qualité de l'image que si l'on en sélectionne qu'une partie. Néanmoins, il est posible d'améliorer l'impact d'un cliché en procédant à un recadrage.

Armé de deux barettes en L (voir ci-contre), vous serez en mesure de déterminer quelle partie d'une photographie mérite d'être recadrée. Ayez en tête que, parfois, vous serez contraint de procéder au recadrage d'une importante partie de votre cliché afin de parvenir à une composition plus élaborée qu'à l'origine. Néamoins, souvent, vous n'aurez à intervenir que sur une zone assez peu importante.

Lorsque vous aurez finalement décidé de quelle manière procéder, utilisez un massicot, ou bien un cutter et une règle en fer, pour effectuer le découpage envisagé.

◀ Lorsqu'un photographe prend un instantané d'une personne, son oeil est plutôt attiré par sa tête ou même son dos. En supprimant ici la tête de l'adulte, le photographe a voulu porter l'attention sur le rapport protecteur entre le père en l'enfant et bien marquer la différence de taille des bras.

▼ Recadrer un portrait en éliminant une grande partie du décor qui l'entoure permet de lui conférer un impact beaucoup plus important. Ici, le photographe a voulu attirer l'attention sur l'extrême concentration d'un enfant en train de déguster une glace.

Coupez dans le vif

L'expérience vous apprendra comment

Formes en L

La meilleure façon d'apprécier la variété des images que vous pourrez obtenir en procédant à un recadrage est de vous munir de formes en L, que vous aurez pris soin de bien découper.

Placer les formes en question sur vos tirages ou bien sur les photographies présentées dans ce livre. Ensuite, faites les glisser de manière à modifier le format du cliché, à en repositionner le sujet principal ou à en éliminer certaines parties que vous estimerez superflues.

éviter certains défauts liés à la composition de votre image, à moins que vous souhaitiez ne pas les effacer pour une raison spécifique. Certaines zones brillantes situées à la périphérie d'un cliché attirent immanquablement le regard et peuvent être surpprimées sans grand problème. De la même manière, vous pouvez décider de réduire, en taillant dans le vif, un arrière-fond qui vous semble dominant.

N'hésitez pas à enlever ce qui vous semble superflu. Par exemple, si, pour quelque raison que ce soit, au cours d'une prise de vue, vous n'êtes pas en mesure d'approcher suffisamment le sujet, n'hésitez pas à recadrer votre tirage. Faites de même si vous estimez qu'un portrait que vous avez réaliser apparaît mal cadré.

La technique du recadrage peut être aussi utilisée pour accroître l'impact d'une photographie.

▲ *Parfois, certains détails parasites éloignent l'attention du sujet principal d'une photographie. Sur ce cliché du pont de la tour de Londres, quelques bateaux figurent à l'avant-plan afin d'en rehausser l'intérêt. Mais, au bout du compte, ils tiennent une place dominante dans l'ensemble de la composition. La photographie située en haut de la page ci-contre montre de quelle manière le problème a été résolu.*

◀ *Sur beaucoup de photographies, comme celle-ci, certains personnages ou objets sont coupés en deux, donnant des résultats inesthétiques. La solution consiste à procéder à un recadrage qui permet d'améliorer de façon très sensible la composition du cliché.*

Faites-le vous-même

Si vous souhaitez agrandir une partie d'un cliché, ne demandez pas à un laboratoire de s'en charger directement par lui-même. Faites agrandir l'ensemble de la photographie, puis supprimez vous-même les parties qui vous semblent les moins intéressantes.

▲ ▶ ***Vous pouvez modifier le format d'une photographie et lui conférer un impact, ou bien mettre plus en valeur un sujet précis.***

Sur cet exemple, la suppression d'une partie du paysage qui entoure le phare et le bateau améliore considérablement la composition. Le recadrage redonne aussi au phare ses véritables dimensions.

TROISIÈME PARTIE

LES THÈMES

Photographier les paysages

Il faut un œil bien entraîné pour réaliser des photographies de paysages de très grande qualité, mais il faut aussi les bons accessoires et s'armer de beaucoup de patience.

Notre professeur et moi-même roulons pendant au moins un bonne heure avant de nous décider pour un endroit offrant de bonnes potentialités. Celui qui doit m'initier à cette technique me confie alors : "Nous avons de la chance car le soleil du milieu de l'été est sans doute celui qui convient le mieux à la photographie de paysages."

La plupart des récoltes ont été plantées, créant de belles lignes ondulées. Tous les arbres et buissons arborent un feuillage vert très dense qui ne nous offre qu'une palette de couleurs limitée.

Notre professeur a choisi ce point de vue en raison de la variété des arbres qui se trouvent à l'avant-plan et de l'intéressant vallonnement des

▲ ***Tel est la photographie que mon professeur attendait avec impatience. Le soleil est assez intense pour éclairer les arbres situés au premier plan, mais pas assez pour que l'ensemble de la scène paraisse trop lumineuse. L'utilisation d'un film Velvia et d'un filtre polarisant permettent de saturer les couleurs.***

Les préparatifs

Mon professeur et moi décidâmes de prendre nos photographies depuis le bas-côté d'une route qui domine le paysage choisi. Le soleil étant au zénith et comme il avait recours à des filtres, mon compagnon, pour éviter tout risque de scintillement, fit un écran de sa main gauche au-dessus de l'objectif. Il employa aussi un trépied pour empêcher tout bougé de l'appareil.

Composer un paysage

Pour réaliser une bonne photographie de paysage, un élément permettant de créer un contraste est essentiel. Qu'il s'agisse d'une couleur plus soutenue qu'une autre, ou bien d'un jeu subtil d'ombres et de lumières, le contraste aboutit toujours à un résultat spectaculaire.

◀ ***On a de la peine à croire qu'il s'agit de la même photographie. Sans la lumière du soleil, l'image est fort plate. Même l'ajout d'un élément de contraste, comme le champ labouré au premier plan, n'a pas permis de donner quelque relief au cliché qu'écrase encore plus un ciel bouché.***

UNE APPROCHE SEREINE

1 ATTENDRE LE SOLEIL

Le soleil étant caché, mon professeur utilisa un filtre polarisant destiné à enrichir les couleurs, un filtre neutre pour assombrir le ciel et un filtre Kodak Wratten 81EF pour donner une coloration plus chaude. Cette première photographie n'est pas assez éclairée, et elle manque de contrastes et d'ombres.

collines placées à l'arrière-fond. Quand nous avons déterminé quelle partie du paysage nous allons photographier, une longue attente du soleil commence. Après que les nuages ont disparu et que mon professeur a commencé à prendre des clichés, je réalise quelle satisfaction peut procurer la photographie de paysages.

Manque de soleil

C'est alors que vient mon tour. Je choisis un boîtier multiobjectif qui peut recevoir toutes sortes de filtres. Armé du Nikon FE2 de mon professeur, d'optiques allant de 35 à 70 mm et d'un film à diapositives Fuji 50 ISO — les films lents sont parfaitement adaptés à la photographie de paysages — je me mets en quête d'un endroit, au bord de la route, d'où je serai en mesure d'effectuer mes prises de vues.

Lorsque je procède à mes réglages, les arbres et les champs baignent dans un chaud soleil d'été. Mais aussitôt que je me prépare à faire ma première photographie, l'astre du jour disparaît derrière une grosse couverture nuageuse qui rend le paysage beaucoup moins attrayant.

Je suis déterminé à ne pas prendre de cliché avant que le soleil ne fasse sa réapparition. Mais, au bout de quinze minutes d'attente, abandonnant tout espoir que cette éventualité se produise, je commence à opérer. Je recule un peu afin d'inclure une bande de terre labourée dans mon cadrage, mais en faisant bien attention de ne pas y mettre trop de ciel bouché. Cependant l'ensemble manque évidemment de lumière. Je suis condamné à attendre encore.

Une image riche

Mon professeur, quant à lui, prend son temps. Il n'ignore pas que, sans soleil, point n'est besoin d'espérer obtenir un résultat intéressant. Aussi se consacre-t-il, en attendant, à différents réglages, de manière à être fin prêt lorsque le soleil se décidera à briller à nouveau.

Il a choisi un FE2 équipé du même objectif que le mien mais a sélectionné un film différent, un Velvia à diapositives aux très riches couleurs, de la même sensiblité toutefois que le 50 ISO dont j'ai chargé mon appareil.

Le recours à des filtres est essentiel pour la photographie de paysages.

2 ZOOMER
En zoomant sur les arbres, mon professeur effaça du cadrage le champ labouré du premier plan et tenta de créer une composition différente. Les ombres produites par les nuages sont intéressantes, mais elles neutralisent les couleurs des feuilles. Le cliché est raté.

3 ESSAYER UN AUTRE ANGLE
Pour ce cliché, mon professeur se déplaça d'une vingtaine de mètres sur la gauche, en sorte qu'il se retrouva directement au-dessus des arbres. Si le premier plan baignait dès lors dans la lumière, l'arrière-fond était désormais obscurci.

Mon professeur en monte un, polarisant, destiné à saturer les couleurs et à gommer quelque peu le ciel nuageux. Un autre, neutre, lui permettra de réduire la luminosité du ciel, tandis qu'un dernier donnera plus de chaleur au cliché.

En combinant un film lent et les trois filtres décrits précédemment, il doit obligatoirement sélectionner une très courte vitesse d'obturation, en sorte qu'il doit avoir recours à un trépied pour éviter tout bougé de l'appareil. Un trépied permet aussi de faire ses réglages et de les conserver jusqu'à ce que la lumière soit bonne. C'est exactement ce que mon professeur a fait.

La réapparition du soleil modifie complètement le paysage.

Utiliser un filtre polarisant

Les filtres polarisants, très utiles pour la photographie en extérieur, ont trois fonctions :

- ❑ obscurcir le ciel et gommer les nuages,
- ❑ réduire les reflets,
- ❑ saturer les couleurs.

Notre professeur utilise des filtres de ce type dans 80 % des clichés de paysages qu'il réalise. Si ces filtres permettent de bien rendre les couleurs naturelles, ils présentent cependant un important défaut, celui de donner à l'image un rendu plus froid. Aussi est-il nécessaire d'avoir recours à des filtres plus chauds, comme le 81EF, qui permettent de compenser ce problème. Il est essentiel de procéder de cette manière lorsqu'on photographie des paysages très verts. Pour pouvoir employer un filtre polarisant avec deux autres filtres — gris neutre et 81EF — on peut avoir recours à un système porte-filtre.

4 LE BON CHOIX Finalement, mon professeur reculant sur la route, opta pour un format vertical, dans lequel il inclut le champ labouré, qui paraît baigner dans la lumière du soleil. Cette photographie bénéficie d'un bon équilibre entre les ombres et les lumières. Son arrière-fond présente par ailleurs un bon contraste. Le filtre polarisant a permis de gommer les détails des nuages.

Compact

❑ **Filtres.** Vous pourrez prendre de bonnes photographies de paysages avec un compact. Une grande variété de filtres existe pour ce type d'appareil, mais l'objectif à focale fixe vous paraîtra bien insuffisant.

❑ **Trépied :** rappelez-vouq qu'un trépied peut toujours vous être utile, quel que soit le type d'appareil.

Réflex

❑ **Câble de déclenchement.** Lorsque vous utilisez un film lent et que vous avez recours à une très basse vitesse d'obturation, sachez que même le fait de presser le déclencheur peut provoquer un bougé de l'appareil. Si vous voulez aborder sérieusement le domaine de la photographie de paysages, faites l'acquisition d'un câble de déclenchement. Ce système réduit fortement les risques de bougé et vous permet de prendre un cliché en vous éloignant du viseur.

❑ **Vitesse d'oburation** Avec un boîtier réflex, le miroir qui vous permet de voir l'image que vous souhaitez capturer s'escamote lorsque l'obturateur se déclenche de manière à prendre la photographie. A de faibles vitesses d'obturation, ce mécanisme peut provoquer des problèmes et entraîner un bougé de l'appareil. Quelques boîtiers, dont le FE2, disposent d'un système qui permet d'éviter le problème. Lorsque l'on presse le déclencheur, le miroir s'escamote mais l'image n'est prise que quelques secondes plus tard lorsque tout mouvement de l'appareil a cessé.

Un paysage en noir et blanc

Pour prendre un beau paysage en noir et blanc, il vous faudra porter l'accent sur un puissant contraste entre les différents sujets et bien tenir compte des conditions de lumière et des dégradés.

Quand il travaille avec un film noir et blanc, un photographe doit tenir compte d'un grand nombre de paramètres. Un paysage qui vous coupera le souffle lorsqu'il est pris en couleurs pourrait apparaître bien fade en noir et blanc. Alternativement, une scène offrant de très forts contrastes est parfaitement adaptée à la photographie monochrome.

Alors qu'un beau soleil et un ciel sans nuages sont généralement de bon augure pour celui qui emploie des films en couleurs, il n'en va pas toujours de même pour le photographe qui souhaite utiliser de la pellicule monochrome. Une lumière par trop brillante engendre des ombres tranchées qui peuvent dominer ou encore compliquer la prise de vue d'un paysage. Pour de tels sujets, une journée lumineuse mais également nuageuse est bien mieux indiquée.

Telles n'étaient pas les conditions qui régnaient en ce matin où mon professeur et moi-même avons procédé à ces photographies. C'était un jour froid et brumeux, caractérisé par un ciel bouché et une lumière presque inexistante. La brume réduisait très fortement la luminosité, rendant fort terne la campagne.

Comme il avait fait plus clair de bon matin, nous espérions que les choses iraient mieux et priions pour que le temps s'améliore par la suite. Après une courte marche, nous découvrîmes un pâturage onduleux, en avant

▲ Mon professeur photographia ce paysage onduleux assez tôt le matin. Il s'agit d'une composition fort intéressante qui sait tirer parti de la texture des champs labourés, possède une bonne perspective et profite de l'effet produit par les arbres figurant au premier plan et un peu plus en arrière. Mais la visibilité est bien pauvre, la lumière trop faible et l'arrière-fond trop peu marqué.

▼ Parmi mes premières photographies figura ce champ planté de quelques arbres et cette barrière, au premier plan, attirant par trop le regard à mon goût.

◀ ***Pour cette photographie, j'ai utilisé un objectif de 105 mm braqué sur un arbre dont la silhouette m'a semblé digne d'intérêt. Placer l'arbre sur la droite de ma composition m'a permis d'obtenir un effet pictural plus intéressant, mais le sujet manque de contraste du fait d'une trop faible luminosité.***

Note — Améliorer le tirage

Lorsque vous prenez des photographies en noir et blanc et que la luminosité est insuffisante, conseille notre professeur de photographie, vous pouvez grandement améliorer les clichés au moment du développement et du tirage. Avec un film noir et blanc oridinaire, il est possible d'accroître le contraste en accroissant la durée du développement. Mais cette méthode n'est pas applicable à une pellicule XP2, qui est développée de la même manière qu'un film en couleurs. La seule solution consiste à améliorer le contraste au tirage.

En utilisant du papier de grade 4 ou 5, l'on est en mesure d'accroître le contraste de façon spectaculaire. Sur mon tirage final, le sol et l'arbre apparaissent plus foncés et une faible luminosité semble se dessiner dans le ciel.

Le réglage

L'élève et le professeur ont effectué leurs clichés dans une région un peu boisée, par un jour assez froid, au début de l'hiver. La brume était présente et le ciel bouché, aussi la luminosité était-elle très faible. Les deux photographes ont testé plusieurs possibilités avant de se décider. Ils ont utilisé un Nikon FE2 monté sur un trépied et des films XP2.

UNE SILHOUETTE PARFAITE

1 UNE COMPOSITION PLUS FORTE
Le professeur a commencé par prendre exactement la même scène que son élève, utilisant un objectif de 75-100 mm de manière que l'arbre occupe la place qu'il mérite dans cette composition, voire qu'il la domine. C'est une photographie très intéressante, mais qui, malheureusement, comporte un arrière-fond presque délavé par la brume et un ciel bouché.

duquel trônait un grand arbre qui attira immédiatement l'attention de mon professeur.

Mes clichés

J'effectuai mes réglages par rapport à la route, employant un boîtier Nikon FE2 monté sur un trépied et un objectif de 35 mm. Par commodité, j'avais chargé mon appareil avec un film noir et blanc Ilford XP2, qui peut être développé par le même procédé d'une durée d'une heure qu'une pellicule couleurs.

Ma première photographie porta sur un champ de grandes dimensions dans lequel figuraient quelques arbres.

Rechercher les contrastes

Mon professeur eut une approche différente de la même scène. Il utilisa lui aussi un Nikon FE2, un film XP2 et un trépied, mais choisit un zoom de 75-100 mm qui lui permit de prendre l'arbre de plus près. Celui-ci, se détachant bien sur le ciel, rendait la composition plus intéressante. Mais le ciel en question étant bouché, nous fûmes obligés d'aller voir ailleurs.

Nous photographiâmes des collines boisées mais la faible luminosité et la brume nous jouèrent le même tour. Comme les conditions atmosphériques empiraient, nous décidâmes que la meilleure façon de réaliser des clichés décents était d'oublier ce pourquoi nous étions sortis — les paysages — et de nous intéresser à des sujets particuliers tels que les arbres.

Ce ne fut qu'à la fin de cette journée particulière que nous trouvâmes l'arbre que nous recherchions, au milieu d'un champ labouré, un arbre qui se détachait bien sur le ciel. Lorsqu'il prit son cliché, mon professeur profita d'un peu de lumière qui filtrait, donnant au ciel une facture plus intéressante.

▼ ***À partir de ce négatif de film XP2, mon professeur a fait réaliser des contacts qui lui ont permis de sélectionner les meilleurs clichés.***

2 UN CONTRASTE MAXIMUM
Alors que la lumière du matin commençait à perdre de son intensité, mon professeur put prendre la photographie qu'il souhaitait. Il s'engagea dans un champ labouré et boueux afin de réaliser le cliché de ce vieil arbre majestueux. Il s'appliqua à le faire se détacher sur un ciel bouché où pointaient quelques raies de lumière. Tirer cette photographie sur un papier à plus grande dureté a permis d'en accroître le contraste.

Compact

Les tirages que vous pourrez obtenir avec un film XP2 vont en général du rouge au bleu en passant par le sépia. Vous pourrez spécifier à votre laboratoire de quelle teinte vous souhaitez disposer lorsque vous y laisserez votre pellicule. Curieusement, les tirages noir et blanc sont les plus difficiles à rendre. Pour avoir un vrai tirage monochrome, demandez qu'il soit fait sur un papier classique.

Réflex

Pour être certain que tous les détails de vos photographies seront bien nets, utilisez une ouverture de diaphragme de f8 ou f11. Aucun objectif ne donne de bons résultats à ses ouvertures maximale et minimale. Sur un cliché surexposé, des détails qui rendent un arbre photographié en hiver si intéressant seront gommés.

▶ ***Par une journée trop peu éclairée, une autre solution consiste à se concentrer sur des détails. Notre professeur a utilisé un objectif de 50 mm pour mieux révéler l'écorce striée de cet arbre.***
Le contraste a été accentué au tirage afin de rendre encore plus intéressante la photographie.

▼ ***Voici le cliché le meilleur que notre professeur de photographie a pris au cours de cette journée. Celui-ci aurait été de plus grande qualité s'il avait été pris avec une pellicule noir et blanc ordinaire. Notre professeur ajoute qu'il aurait pu arranger cela en prolongeant un peu le développement, ce qui n'est guère possible avec un film XP2.***

Paysages de montagne

La montagne offre au photographe paysagiste de grandes satisfactions, mais, pour réaliser des images fortes, il vous faudra trouver des points de vue intéressants. Notre professeur nous emmène dans les collines escarpées et rocailleuses de l'Espagne afin de nous expliquer de quelle façon il convient de procéder.

Les montagnes d'Andalousie, au sud de l'Espagne, offrent des possibilités de prises de vues en tous points spectaculaires. Leurs contreforts onduleux sont couverts d'une végétation assez fournie et d'oliviers. Mais, un peu plus haut, le paysage devient plus rocailleux, difficile d'accès et plus spectaculaire. Notre professeur décide donc de faire des photographies de ces deux types de paysages.

Nous nous mettons en route par une matinée de printemps claire et ensoleillée et roulons environ une demi-heure avant d'atteindre des collines verdoyantes. Éclairés par la lumière du matin, les oliviers plantés sur les pentes pourraient constituer un beau sujet de photographie. Mais, comme je recherche une scène plus spectaculaire, je ne prends pas le temps de réaliser quelque cliché que ce soit.

Tel n'est pas le cas de mon professeur, qui prend une belle photographie avec des oliviers au premier plan ainsi que les collines et quelques fermes de couleur blanche à l'arrière-fond. Le paysage que nous côtoyons ne nous offrant que des possibilités limitées, nous remballons notre matériel et poussons plus loin nos investigations.

Encore plus haut

Tandis que nous progressions dans la montagne, le paysage devient plus sauvage et rocailleux. Lorsque nous atteignons l'altitude de 3 000 m, le spectacle nous semble impressionnant. C'est bien le panorama désolé que nous recherchons. Ne perdant guère de temps à trouver un point de vue qui me convienne, je commence à prendre des clichés.

Les équipements

Mon professeur et moi-même avons effectué ces prises de vues dans les montagnes et les collines situées à l'est de Malaga, en Andalousie. Le temps était excellent, le soleil présent et le ciel dégagé, mais la brume matinale, ne s'étant pas entièrement dissipée, nous gêna dans notre entreprise. J'utilisai un Nikon F801, tandis que mon professeur employa un Nikon FE2 monté sur un trépied.

▼ ***Cette photographie aurait pu constituer une belle réussite, les collines situées à l'arrrière-plan accentuant l'impression de profondeur. Mais la brume très légère qui stagne encore réduit la finesse des détails. Aucun filtre polarisant n'ayant été utilisé pour saturer les couleurs, l'arrière-fond apparaît comme délavé.***

TROUVER UN CENTRE D'INTÉRÊT

1 DANS LES COLLINES
Mon professeur prit cette photographie au petit matin, avant que le soleil ne soit trop haut dans le ciel. Les oliviers verdoyants situés au premier plan lui confèrent un impact intéressant, mais l'arrière-fond est beaucoup moins convaincant. Du fait de la légère brume qui flotte dans l'atmosphère, les collines manquent de relief et de couleur.

2 UN SOL ROCAILLEUX
Plus haut, le paysage était beaucoup plus spectaculaire. Mon professeur apprécia beaucoup ce panorama, mais il savait qu'il fallait lui conférer quelque perspective en y incluant le petit plateau dénudé et rocheux que l'on distingue à l'arrière-fond. Néanmoins, le cliché manque de couleur et le ciel est presque sans éclat.

3 UNE TOUCHE DE COULEUR
Plus loin, mon professeur découvrit un spectacle impressionnant. La présence d'un pin d'un vert très intense au premier plan et le recours à un filtre polarisant lui permit d'ajouter une touche de couleur bienvenue à sa composition.

Composer avec la brume

La brume peut constituer un problème ennuyeux par des journées ensoleillées, parce qu'elle réduit de façon importante la profondeur de champ dont tout photographe a besoin lorsqu'il prend des paysages. Un filtre à ultraviolets permettra de résoudre le problème et de donner plus de netteté au cliché. Si vous utilisez un filtre polarisant, vous obtiendrez un effet similaire, mais sachez que vous devrez peut-être attendre des heures avant que le soleil ne soit parvenu à disperser la brume.

Pour ce faire, je sélectionne un Nikon F801, équipé d'un zoom de 28-70 mm et chargé d'une pellicule à diapositives Fuji 50 ISO. Je choisis une scène constituée de rochers au premier plan et de montagnes désolées au fond. J'y inclus un gros rocher affleurant à quelque distance et espère que les montagnes situées au loin donneront à mes photographies la profondeur nécessaire. J'essaye différents angles avant d'en trouver un qui me convienne et je prends la moitié d'un film afin d'être sûr que j'obtiendrai quelque chose de bien.

Mais les clichés que j'ai réalisés ne me plaisent guère. Il y manque un centre d'intérêt qui puisse attirer l'œil. Les montagnes situées à l'arrière-plan apparaissent quelque peu indistinctes, comme noyées dans une sorte de brume. Le soleil se trouvant au zénith, les couleurs manquent d'intensité.

Un meilleur point de vue

Lorsque j'en ai terminé, mon professeur et moi-même partons à la recherche d'un meilleur point de vue. Enfin, nous découvrons un endroit d'où nous sommes en mesure de balayer un vaste et spectaculaire panorama dans lequel nous pourrons inclure, au premier plan, quelques dents rocheuses du meilleur effet. De cette manière, nous sommes en mesure de disposer d'un centre d'intérêt qui conférera à nos clichés la profondeur nécessaire.

Mon professeur emploie un Nikon FE2 monté sur un trépied, un objectif grand angulaire de 24 mm et une pellicule à diapositives Fuji Velvia 50 ISO. Il a recours à un filtre polarisant qui permet d'obtenir une bonne saturation des couleurs et à un filtre ultraviolet qui améliore la résolution et assombrit le ciel.

4 UNE COMPOSITION PARFAITE Mon professeur estima que la masse rocheuse située au centre de cette photographie pouvait constituer un centre d'intérêt parfait. Il prit quelques clichés rapprochés de cette particularité du relief, mais décida en fin de compte qu'il valait mieux l'inclure dans un ensemble plus vaste. La photographie manque cependant de couleur.

5 DE BELLES COULEURS Mon professeur découvrit cette vue magnifique à la fin de la journée. Le paysage recelait toutes les touches de couleurs qui nous avaient fait défaut précédemment. Le sol rouge ressort bien au premier plan, tout comme les dégradés de couleurs des collines situées à l'arrière-fond. Le soleil couchant donne à cet ensemble une lumière spéciale.

Des centres d'intérêt forts

En contrebas de la route, il découvre un meilleur point de vue des montagnes, avec une floraison de couleurs due à des pins verdoyants situés au premier plan. Mais les arbres en question occupent une trop grande partie du cadre, nous obligeant à nous déplacer à nouveau. En essayant différents points de vue, mon professeur s'est assuré qu'il pourrait réaliser par la suite un grand nombre de photographies qui en valent la peine.

Le point de vue suivant est constitué par un affleurement rocheux situé au sommet d'une colline couverte de broussailles. Cette étrange formation rocheuse constitue un centre d'intérêt parfait. Mon professeur emploie un zoom afin de prendre des clichés à distance et rapprochés. La seule chose qui manque dans ce cas précis est une touche de couleur.

La lumière du soir

À présent que la journée est bien avancée, nous décidons de faire demi-tour et de regagner notre hôtel. Mais, sur le chemin du retour, mon professeur découvre un remarquable panorama, où la lumière crépusculaire éclaire le sol orange d'une plantation d'oliviers dominée par des collines ondoyantes d'un très beau vert.

C'est là une chance que nous sommes décidés à ne pas rater. Aussi prenons-nous un film complet de cette belle scène afin d'être certains d'en tirer quelque chose de bien. Mon professeur, très satisfait, loue la chance qui nous a permis de si bien terminer cette journée.

Compact

❑ Avec un compact, les prises de vues à grande distance sur des côteaux exposés à la lumière du soleil peuvent donner un arrière-fond très sombre et un horizon correctement exposé mais assez indistinct. Résolvez le problème en incluant un détail quelconque au premier plan, que vous illuminerez au moyen de votre flash.

Réflex

❑ En montagne, ne vous chargez pas trop. Emportez plutôt des zooms que des objectifs à focale fixe. Mettez les équipements les plus volumineux dans un sac à dos.

Photographier le football

Les joueurs se déplaçant constamment sur une vaste surface, le football est difficile à photographier. Deux élèves photographes nous expliquent ici de quelle manière procéder.

Nous avons choisi un match de première division entre deux équipes de très bon niveau. Nous arrivons sur le stade environ une heure avant le début de la rencontre, ce qui nous donne le temps de sélectionner les endroits les meilleurs à partir desquels nous opérerons.

En fait, nous tenons plus compte pour ce faire de la force relative des deux équipes que du temps qu'il fait ou des conditions d'éclairement du stade. L'une d'entre elles étant supérieure à l'autre, nous nous plaçons à proximité des buts que nous estimons devoir être les plus menacés. Là, nous attendons patiemment que la rencontre débute.

◀ Cette photographie très forte d'un joueur en pleine action a été prise avec un objectif de 300 mm. Dans ce cas précis, la mise au point a été faite de façon manuelle, afin de pouvoir saisir le meilleur moment.

La mise en place

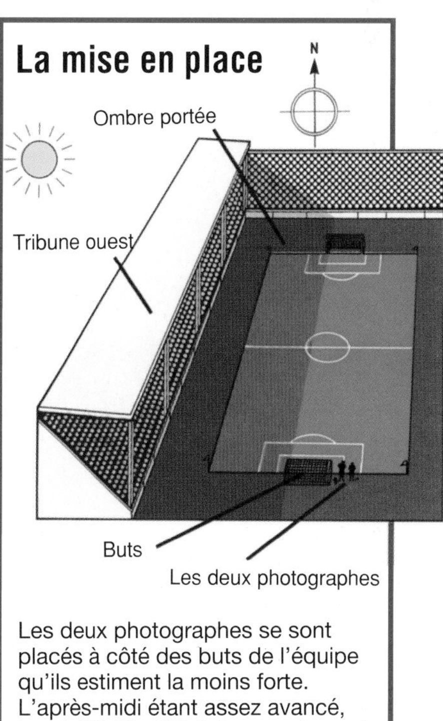

Les deux photographes se sont placés à côté des buts de l'équipe qu'ils estiment la moins forte. L'après-midi étant assez avancé, le soleil brille déjà à l'ouest du stade, n'éclairant qu'une partie du terrain. L'autre partie est plus sombre, du fait de l'ombre portée de la tribune ouest. Toutes les photographies ont été prises depuis un point situé à droite des buts.

À la mi-temps, lorsque les deux équipes changent de côté, les deux photographes font de même. Seuls les journalistes accrédités sont autorisés à travailler directement sur le terrain lors d'un match professionnels, mais tout le monde peut le faire s'il s'agit d'une rencontre entre amateurs.

▲ ***Comme ce cliché le montre bien, il est très difficile de suivre le ballon en même temps que de faire la mise au point. La scène est certes intéressante et vivante, mais beaucoup des joueurs représentés ici sont malheureusement flous.***

Une vitesse d'obturation d'au moins 1/500e de seconde est nécessaire si l'on souhaite obtenir des photographies très nettes d'une action rapide. Même à 1/250e de seconde, de telles scènes peuvent être floues. Mais, en ayant recours à de telles vitesses, il faudra sélectionner l'ouverture de diaphragme la plus importante. Pas d'inquiétude à avoir cependant. Cela n'a guère d'importance. La seule conséquence sera une réduction de la plage de netteté.

SUIVRE L'ACTION

1 ▲ UNE ACTION SPECTACULAIRE
S'étant rendu compte que l'équipe rouge s'avance très rapidement vers les buts adverses, le photographe se saisit son boîtier équipé de l'objectif de 135 mm et attend que le ballon apparaisse dans le cadrage. Sa patience est récompensée, puisqu'il est en mesure de saisir cette scène où le gardien de buts de l'équipe jaune parvient à renvoyer la balle avant qu'un des joueurs de l'équipe rouge puisse l'atteindre. Noter l'arrière-fond flou.

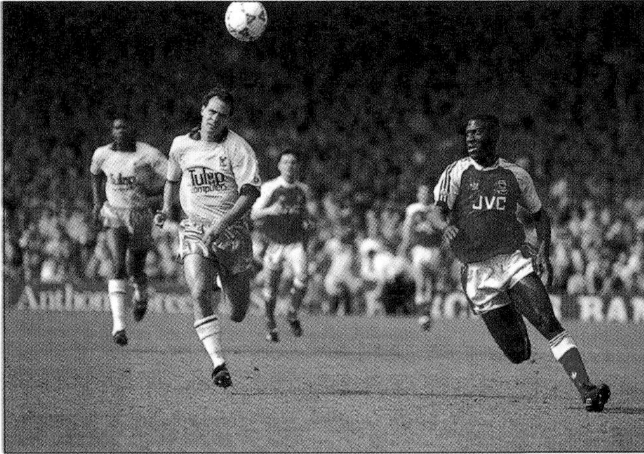

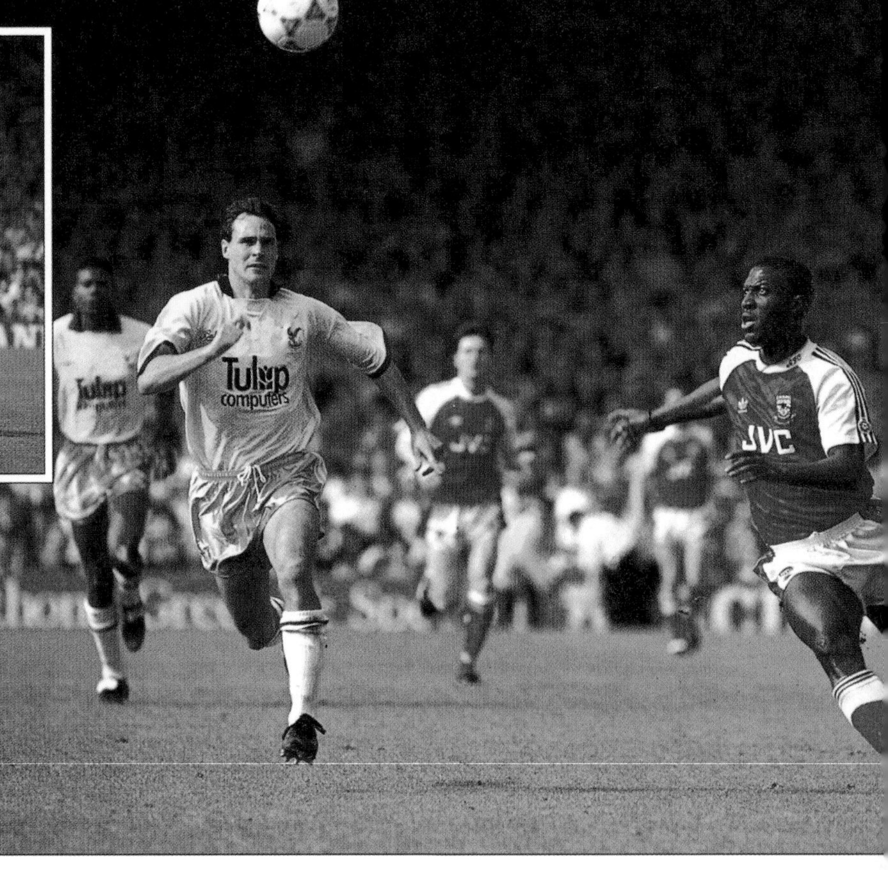

2 ▲▶ SCÈNE D'ATTAQUE
Devinant qu'une action intéressante allait se dérouler, à la suite d'une longue passe, le photographe suit un attaquant de l'équipe rouge qui s'est démarqué, et il prend une série de clichés. Le résultat, spectaculaire, montre le joueur rouge contrôlant la ballon après qu'il a rebondi au sol, et un défenseur de l'équipe adverse tentant désespérément de s'en emparer. Pour suivre cette belle action, le photographe a dû procéder à quelques ajustements dans la mise au point.

Un début rapide

Dès que le coup de sifflet a été donné, nous sommes stupéfaits de la vitesse à laquelle les joueurs se déplacent sur le terrain. J'ai chargé mon propre appareil, un Nikon F801, avec un film à diapositives Fuji 100 ISO, et choisi un objectif à réglage manuel. Mais je me rends compte très vite de la difficulté dans laquelle je me trouve de faire une bonne mise au point lorsque je tente de suivre le ballon. J'utilise un 135 mm pour prendre le gardien de but en action et un 300 mm pour saisir les scènes plus lointaines, mais je rate quelques belles attaques lorsque je procède à des changements d'objectifs.

La lumière pose un autre problème. Il fait très beau, mais le soleil se trouve, déjà bien avancé à l'ouest, éclaire fortement une partie du terrain et laisse l'autre dans l'ombre. Cette particularité signifie que le temps de pose est différent selon les endroits où le jeu se déplace. Mais je ne dispose pas toujours du temps nécessaire à mes réglages.

Confronté à des problèmes aussi difficiles à résoudre, je devine que les choses ne vont pas se passer aussi bien que je le pensais et que la plupart de mes clichés présenteront des défauts. Choisir le bon moment pour appuyer sur le déclencheur n'est pas non plus très facile et constitue une autre difficulté à surmonter.

Expérience et technique

Mon compagnon, qui est rompu aux techniques de photographie du football, applique une méthode qui lui permet de régler toutes les difficultés auxquelles il pourrait être confronté. Ayant chargé ses deux Nikon F4 avec des films Fuji 100 ISO, il en a équipé un d'un objectif de 135 mm et l'autre d'un 300 mm. Aussi ne sera-t-il pas contraint de changer d'objectif toutes les fois que l'action se déplacera, comme j'ai été amené moi-même à le faire. Puis, assis sur la valise de transport métallique de son matériel, il monte l'appareil à l'objectif le plus important sur un pied et commence à prendre des clichés.

Il peut ainsi effectuer sa mise au point avec une plus grande facilité, d'autant plus qu'il connaît bien les actions susceptibles de fournir un bon cliché. "La plupart des amateurs, m'explique-t-il, s'emploient à photographier les gardiens de buts, mais ils n'obtiennent pas en général de clichés intéressants. Ce qu'il faut faire, c'est prendre le ballon en l'air et les actions qui se déroulent à proximité des buts. C'est à cela que je m'intéresse en premier lieu".

Une belle action

Le match commence par une attaque contre les buts qui se trouvent à l'opposé de l'endroit où nous nous tenons. Puis l'équipe menacée se lance dans une contre-attaque foudroyante qui prouve que nous avons eu raison de nous installer où nous sommes. De cette manière, nous allons pouvoir réaliser de très bonnes photographies de tirs au but.

Mon compagnon commence par un cliché spectaculaire où le gardien de but parvient à arrêter d'une belle détente une balle puissante. Puis il prend une série de clichés d'une action collective qui s'achève par une longue passe. Je le vois suivre le ballon et procède de la même manière que lui. Il est toujours bon de commencer à photographier dans un cas comme celui-là.

Compact

Employer un compact pour prendre des images d'une rencontre de football entraîne d'importantes limitations. L'objectif le plus important dont vous disposerez ne dépassera pas 135 mm. Si vous vous trouvez dans une tribune, ne perdez ni votre temps, ni votre pellicule, vous n'obtiendrez aucun résultat qui en vaille la peine. s'il s'agit d'un match amateur, placez-vous derrière les buts et concentrez-vous sur les actions qui s'y dérouleront.

Réflex

Si vous disposer d'un reflex autofocus, vous pourrez réaliser de très beaux clichés. L'appareil refaisant la mise au point en quelques fractions de seconde, vous serez en mesure de saisir des moments intéressants. Mais n'oubliez pas que la plupart des appareils autofocus ne réagissent que si un sujet se trouve au centre du cadrage.

3 ▲ CONTRÔLE DE LA BALLE Le photographe a pris cette action, au cours de laquelle un membre de l'équipe rouge s'empare de la balle, avec un long téléobjectif de 300 mm. Le cliché n'était pas facile à réaliser, les deux joueurs se trouvant à moitié dans la lumière, à moitié dans l'ombre. Pour avoir assez de lumière, le photographe a réglé le diaphragme à son ouverture maximum.

4 ▼ UN GESTE D'AMITIÉ Bien qu'elle ait perdu par quatre à un, l'équipe perdante offre au photographe de belles opportunités. À la suite d'une attaque manquée, deux joueurs de l'équipe jaune se congratulent sur le travail qu'ils viennent d'effectuer. Cette photographie a été prise au long téléobjectif de 300 mm.

Photographier un match de rugby

Le décor

Notre photographe s'est rendu dans un stade de banlieue pour photographier un match de rugby opposant deux équipes professionnelles. Le temps est couvert et gris, caractérisé par un crachin persistant qui s'est intensifié au fur et à mesure du déroulement du match. Pour résoudre le problème du mauvais temps, notre expert a utilisé des pellicules ISO 400 et réglé ses appareils sur une vitesse de 1/500e, sans oublier de fixer le boitier équipé d'un objectif de 600 mm sur un pied.

Il s'est ensuite placé derrière la ligne d'essai et a changé de place à la mi-temps.

◀ ***Cette photographie a été prise avec un objectif de 600 mm. En raison de la pluie, du mauvais éclairage et de la distance entre l'appareil et le sujet, l'image apparaît un peu plate et avec du grain. Elle restitue cependant pleinement l'intensité de l'action.***

Le rugby est un sport extrêmement rapide, où les actions les plus spectaculaires, comme les plaquages au sol ou les mêlées, se succèdent à un rythme soutenu et où les temps morts sont très rares. Un photographe nous explique ici comment procéder.

Comme d'autres sports, le rugby comporte plusieurs variantes : il existe ainsi le rugby à quinze et le rugby à treize, avec des équipes de professionnels et des équipes d'amateurs. Notre photographe a décidé quant à lui de prendre un match opposant deux équipes professionnelles de première division.

"Le jeu des équipes professionnelles est toujours plus rapide que celui des équipes amateurs, explique-t-il, je suis donc sûr d'assister à des actions spectaculaires."

Où et comment s'installer ?

Notre photographe sachant que l'équipe au maillot noir et blanc préfère jouer sur les côtés du terrain plutôt qu'au milieu et qu'elle est plus forte que ses adversaires, qui portent un maillot bleu, il s'installe donc derrière la ligne d'essai de ces derniers et attend. "Au rugby, certains photographes se placent le long des lignes de touche, ajoute-t-il, pour ma part, je préfère m'installer derrière les lignes d'essai de façon à voir et à pouvoir prendre les joueurs de face lorsqu'ils s'élancent pour marquer un essai."

La place qu'il a choisie était excellente mais, malheureusement, le temps est mauvais ce jour-là. Le ciel est couvert, il fait sombre et une petite pluie fine et persistante tombe pendant tout le match. C'est pourquoi, notre photographe a chargé ses appareils photographiques avec des films diapositives Fuji RHP de ISO 400 en espérant que les conditions météorologiques aillent en s'améliorant.

▶ ***Cette photographie est meilleure : les joueurs sont mieux cadrés et aussi plus nets. Malheureusement, le joueur en possession du ballon tourne le dos à l'objectif.***

▲ ***Dès le début du match, le photographe a monté sur son appareil un objectif de 300 mm. Les joueurs apparaissent très petits dans le cadre de la photographie. Il a également rencontré quelques problèmes pour régler manuellement la vitesse d'obturation.***

Saisir l'instant

Les joueurs au maillot bleu attaquent très fort dès les premières minutes de jeu mais, très vite, leurs adversaires reprennent l'avantage et dominent la partie. Notre photographe a équipé l'un de ses appareils, un Nikon F801, d'un objectif de 300 mm et prend avec celui-ci ses premiers clichés alors que les joueurs se trouvent plutôt au milieu du terrain.

Avec un tel type d'objectif, les joueurs apparaissent très petits et comme perdus au milieu de la photographie. Les seules actions qu'il est possible de photographier dans ces conditions sont celles qui se déroulent aux alentours de la ligne des 22 mètres mais, dans un sport aussi rapide que le rugby, il est toujours très difficile de saisir l'instant où les joueurs sont de face.

Changement d'appareil

Notre photographe décide donc de changer d'appareil et d'objectif afin de ne pas gâcher de la pellicule en vain. C'est pourquoi il prend son appareil principal, un Nikon F2 muni d'un objectif de 600 mm lui permettant de photographier les joueurs en gros plan, mais il conserve tout de même à portée de main son Nikon équipé d'un 300 mm pour prendre les scènes d'actions proches de la ligne d'essai.

C'est ainsi qu'il parvient à photographier tout une série de plaquages spectaculaires se déroulant

ATTENDRE LE BON MOMENT

1 BATAILLE AU MILIEU DU TERRAIN
Cette photographie des joueurs se battant pour la possession du ballon a été prise lors de la première mi-temps. Les sujets sont un peu loin, même avec un objectif de 600 mm, et la pluie et le mauvais éclairage donnent moins de contraste aux visages.

Réflex

Plusieurs objectifs sont particulièrement bien adaptés pour photographier des matchs de rugby. Il est ainsi préférable de s'équiper d'un téléobjectif — au moins un 400 mm — mais on peut aussi utiliser des objectifs de 80 ou 210 mm lorsque l'on veut photographier des phases de jeu se déroulant très près de soi. Notre photographe a emporté trois objectifs de 600 mm, 300 mm et 135 mm, une combinaison idéale et même parfaite si l'on possède en plus deux ou trois boîtiers.

2 PLAQUAGE
Toute la force et la violence de ce plaquage au sol se ressentent parfaitement lorsqu'on regarde cette photographie prise en pleine action. Mais le cliché aurait été encore plus percutant si on avait pu voir le visage du joueur en possession du ballon.

sur la ligne médiane bien que la lumière soit si faible qu'il doit régler l'ouverture du diaphragme de son appareil sur f4. Il réussit également à prendre un cliché assez surprenant et inhabituel d'un joueur s'apprêtant à transformer une pénalité, mais c'est lors de la seconde mi-temps qu'il prend les meilleures photographies.

Dernières minutes de jeu

À la mi-temps, notre photographe décide de changer de place afin de toujours pouvoir photographier les joueurs au maillot noir et blanc de face. Ceux-ci en effet se sont imposés comme les plus offensifs et semblent se diriger tout droit vers la victoire. Il utilise également son Nikon équipé d'un objectif de 300 mm pour photographier quelques beaux plaquages au sol mais reprend son appareil muni du 600 mm pour prendre sa plus belle photographie, le superbe effort d'un joueur de l'équipe au maillot bleu perçant la ligne de défense de l'adversaire et s'élançant vers la ligne d'essai.

"Lorsque l'on veut photographier un match de rugby opposant deux équipes professionnelles, explique-t-il, il faut d'abord savoir quel genre de scène d'action on souhaite prendre. Les plaquages rendent bien en photographie pour peu que l'on soit placé face aux joueurs. Une photographie d'un homme courant avec le ballon sera toujours spectaculaire et réussie.

3 LE BUTTEUR Juste avant la fin de la première mi-temps, l'équipe au maillot noir et blanc obtiennent une pénalité. Lorsque le joueur chargé de la tirer place son ballon, le photographe prend ce cliché qui restitue très bien la concentration du butteur.

4 LA PERCÉE Au début de la seconde mi-temps, le photographe se prépare à se déplacer vers l'autre côté du terrain lorsque l'équipe au maillot bleu lance une attaque inattendue. Il n'a qu'une fraction de seconde pour prendre cette photographie d'un des joueurs en train d'enfoncer la défense adverse.

Photographier le rugby

Le rugby est un sport très photogénique, qu'il s'agisse de jeu à treize ou de rugby à quinze. Les occasions de faire de bonnes photographies ne manquent pas en effet dans l'un ou l'autre des jeux.

C'est ainsi qu'une photographie d'une mêlée de huit hommes donne généralement un excellent cliché, surtout si la chaleur des corps des sportifs qui se dégage dans l'air froid produit une légère vapeur. Il est également possible de prendre une bonne photographie d'une remise en jeu à la suite d'une touche si l'on se place derrière le joueur qui effectue cette remise en jeu et que l'on arrive à saisir le mouvement des joueurs sautant en l'air pour attraper le ballon ovale.

5 ▲ LA SOUFFRANCE Après s'être installé de l'autre côté du terrain, le photographe décide de changer d'objectif et d'utiliser un 300 mm. C'est ainsi qu'il peut prendre cette photographie d'un des joueurs sur le visage duquel se lit parfaitement la souffrance et l'effort développé pour échapper aux plaquages adverses.

6 ▼ L'HOMME QUI COURT Mais la meilleure photographie de la journée intervient sans doute à la fin de la seconde mi-temps, lorsqu'un des joueurs de l'équipe au maillot noir et blanc récupère le ballon au milieu du terrain et commence à courir vers la ligne d'essai. Le photographe a de nouveau équipé son appareil d'un objectif de 600 mm.

Le sport à l'école

Les activités sportives à l'école sont beaucoup plus intéressantes à photographier qu'on ne le pense généralement. Mais comment procéder ?

◀ ***Sur cette photographie, les spectateurs placés à l'arrière-plan sont beaucoup trop nets, empêchant de bien distinguer les enfants qui courent au premier plan. Noter aussi un des enfants qui sort du cadre, preuve que le cliché a été pris une fraction de seconde trop tôt ou trop tard.***

Nous arrivâmes à l'école où nous devions opérer par une belle matinée ensoleillée, alors que les élèves étaient sur le point de terminer leurs activités sportives. L'idée de procéder d'une telle initiative m'était venue à la suite d'une discussion avec un professeur et je pensais tenir là l'occasion de réaliser de belles photographies.

Un mauvais point de vue

J'utilisai un Pentax ME Super reflex et un objectif de 50 mm et mon compagnon m'avait suggéré d'essayer un film à diapositives Ektachrome 100X ISO afin de donner plus de chaleur à mes clichés. La première chose à faire était de trouver la ligne d'arrivée. Ayant découvert ce que je cherchais, je réalisai que je pourrais faire de bonnes photographies, mais, très vite, je me rendis compte que la piste de course avait été raccourcie afin d'être adaptée aux plus petits. Abandonnant l'endroit où je me trouvais, je décidai de faire le tour et d'opérer sur l'un des côtés.

J'avais choisi d'employer un objectif de 50 mm parce qu'il me permettrait de prendre l'ensemble des participants dans le même cadrage. Mais, de la manière dont j'étais placé, je n'ignorais pas que je ne pourrais prendre qu'un seul cliché de chaque course. Pointant mon appareil, je pressai alors le déclencheur et découvris alors que je n'avais pas assez réfléchi au problème. Les enfants étaient trop petits pour être pris plein cadre du point où je stationnais. Aussi se confondaient-ils avec le fond.

Le cadre

Toutes les photographies ont été réalisées sur un terrain herbeux marqué par des lignes à la craie, avec les parents attendant d'un côté et les enfants de l'autre. La ligne d'arrivée des plus jeunes concurrents était située à mi-piste, en sorte que nos deux photographes furent contraints de s'approcher pour prendre de bons clichés. Certaines photographies furent réalisées depuis un côté de la piste.

UN RÉSULTAT PROFESSIONNEL

1 LIGNE D'ARRIVÉE
Cette photographie a été prise depuis la ligne d'arrivée, peu avant que les trois jeunes concurrents sortent du cadre. Elle a été réalisée avec un objectif de 300 mm réglé à sa plus grande ouverture de diaphragme afin d'obtenir un fond flou. La vitesse d'obturation sélectionnée était de 1/100e de seconde.

Course d'obstacles

Mon camarade s'était armé de deux boîtiers Nikon F4, le premier équipé d'un objectif 600 mm, le second d'un 300 mm. Il m'expliqua qu'employer deux boîtiers était intéressant parce qu'il pensait ne pas avoir le temps de changer d'objectif pendant une course. Comme moi, il employait des films Ektachrome 100X.

Pour commencer, il se plaça sur la ligne d'arrivée et parvint, avec son objectif de 300 mm, à prendre trois enfants au coude à coude sur un arrière-fond flou.

Un des aspects les plus spectaculaires des activités sportives à l'école concerne la course d'obstacles, qui offre de très bonnes opportunités de photographies. Mon compagnon prit un très beau cliché d'une petite fille déterminée à atteindre la première la ligne d'arrivée.

Vue rapprochée

Puis il s'empara du boîtier équipé de l'objectif de 600 mm, posé sur un pied. Grâce à cette importante longueur focale, il était en mesure de réaliser des photographies plein cadre des petits enfants, même lorsqu'ils se tenaient sur la ligne de départ. Sélectionnant une forte ouverture de diaphragme, il parvint à rendre flou ceux qui attendaient leur tour, attirant l'attention sur le sujet en train de courir.

Mon ami décida ensuite de prendre une photographie inhabituelle, qui fut en fait la plus belle de toutes celles qu'il réalisa en cette journée. Tandis qu'un photographe amateur aurait cessé de prendre des clichés dès que les enfants l'auraient dépassé, mon compagnon continua à appuyer sur le déclencheur. Il en fut récompensé par une très belle étude montrant un petite fille en train de pousser une brouette vers la ligne d'arrivée.

2 ▲ MISE AU POINT
Cette petite fille a été photographiée avec un objectif de 300 mm. Pour que sa mise au point soit facilitée, le photographe a commencé à suivre son sujet dès le départ de la course. La peluche et le livre donnent du relief à la composition, mais ce qui rend le cliché intéressant est l'expression de la petite fille.

3 ◄ RELAIS
Ce cliché a été pris avec un objectif de 600 mm qui a permis de capturer l'ensemble du groupe. Le petit garçon au premier plan attire l'attention parce qu'il apparaît très net sur un arrière-fond plus flou.

Réflex

❏ Le recours à un moteur peut se révéler d'une grande utilité lors d'une compétition sportive. Soyez prêt à appuyer sur le déclencheur un petit peu avant de prendre l'action que vous avez choisie.

Compact

❏ Lorsque vous photographiez des manifestations scolaires, souvenez-vous que, selon leur âge et leur taille, les enfants n'occupent pas la même place dans votre cadrage. Un compact à zoom se révèlera d'une très grande utilité dans ce cas précis, parce qu'il vous permettra de modifier très vite votre cadrage sans bouger de l'endroit où vous vous trouvez.

❏ Si vous ne disposez que d'un objectif fixe, tenez-vous près de la ligne d'arrivée et notez à quel endroit de la piste les différents groupes d'enfants figureront plein cadre dans votre viseur. Un enfant de neuf ans, par exemple, devra être photographié de plus loin qu'un enfant de cinq ans.

4 UNE IMAGE INHABITUELLE
Même après avoir été dépassé par les enfants, le photographe a continué à appuyer sur le délencheur, obtenant ce cliché original d'une fillette poussant une petite brouette. La photographie a été prise avec un objectif de 300 mm et une ouverture de diaphragme de f4 qui rend flou l'arrière-fond.

◀ Le photographe a souhaité conférer une ambiance d'action à ce cliché en réglant son zoom 35/70 mm sur 35 mm et en utilisant une vitesse d'obturation de 1/15e de seconde. Il est ainsi parvenu à garder nets les spectateurs adultes et enfants et à rendre flous les coureurs afin de retrouver une impression de mouvement.

▼ Lorsque la compétition prit fin, les spectateurs furent conviés à courir à leur tour. L'expression des visages de ces trois mères (ci-dessous) en dit long sur la joie qu'elles éprouvent de prendre part à cette épreuve. En bas, le photographe a pris un cliché du vainqueur de la course des moins de quatre ans. Du fait de l'ombre, il a réglé l'ouverture du diaphragme un peu plus grande.

Fin de journée

La fin des courses d'élèves ne marqua pas pour autant l'achèvement de toute activité sportive. Pour terminer la journée, les professeurs avaient décidé d'organiser des courses pour les parents. Mon ami, loin d'être pris au dépourvu, avait amené plusieurs films avec lui.

Planté sur le bord de la piste, il réussit à prendre trois mères d'élèves enthousiastes avec son objectif de 300 mm. Puis, armé de son objectif de 600 mm, il réalisa des clichés plein cadre des plus jeunes vainqueurs de la journée.

Placées côte à côte, ces photographies rendent bien compte de l'atmopshère qui règne un jour d'activités sportives à l'école.

Quelques conseils

Les événements sportifs scolaires peuvent être pris avec autre chose qu'un long téléobjectif. Avoir recours à un objectif standard ou à un grand angulaire permet de réaliser de très bons clichés, la possibilité existant de se tenir à proximité des sujets.

Lorsque vous regarderez par le viseur, les sujets en question paraîtront moins grands qu'ils ne le sont en réalité. Attention à votre cadrage dans ce cas.

Les portraits intimes

Nous commençons notre étude sur les portraits avec un cours magistral sur les techniques de base.

◀ *L'élève est un reporter photographe, qui fait aussi des photographies pour son plaisir, avec beaucoup d'enthousiasme.*

▶ *Le professeur est un photographe professionnel spécialisé dans les portraits et les paysages.*

Quand mon professeur et moi nous sommes rencontrés pour ce cours magistral, nous désirions photographier une jeune fille, qui s'est portée volontaire, en plein air. Nous voulions faire un portrait tout simple, dans une atmosphère détendue. Pour que les conditions soient équitables, nous avons décidé d'utiliser le même appareil, un compact Olympus AZ 330, avec un zoom.

La journée a bien commencé. Mais quand j'étais prêt à me mettre au travail, le ciel s'était assombri, et il pleuvait à verse.

Évidemment, il était hors de question de faire des photographies en plein air. Nous avons donc décidé de les réaliser dans une serre. Son toit et ses côtés en verre donnaient l'impression d'être à l'extérieur. Nous pouvions donc utiliser la lumière naturelle au lieu d'un flash.

Où est le défaut ?

Ce que je cherche à obtenir, c'est une photographie naturelle, mais qui mette en valeur mon modèle. Je prends des photographies de la jeune fille au milieu de la pièce, debout et perchée sur un tabouret, dans le coin. Mais quelle que soit sa pose, je piétine.

D'abord, la pièce est encombrée de fauteuils en osier, de plantes et de coussins aux couleurs vives. Je déplace certaines plantes et me demande si je ne dois pas faire du rangement. Mais finalement, je manque de courage et tolère le fond qui détourne l'attention.

Pour me retrouver à la hauteur des yeux de mon modèle, je m'accroupis. J'espère ainsi faire une meilleure photographie, mais en pure perte. Je suis tellement occupé à garder mon équilibre que je ne fais pas assez attention à la façon dont le visage de la jeune fille est éclairé par le haut. Pire, je ne l'implique pas dans ce que je fais. Jusqu'ici, j'ai passé trop de temps à me préoccuper de divers détails. Je suis déçu par la façon dont la séance se déroule et je décide qu'il est temps de céder ma place à mon compagnon. Je savais que ma photographie avait plusieurs défauts, comme le fond qui détourne l'attention et la lumière qui éclaire le visage de la jeune fille par le haut. Mais je n'étais pas assez sûr de moi pour y remédier. J'ai fini par tenter ma chance.

▼ *L'élève a pris la plupart de ses photographies accroupi inconfortablement devant son sujet, une jeune fille légèrement intimidée.*

▲ *La jeune fille a l'air plutôt perdue et mal à l'aise dans le portrait de l'amateur. Le fond est inégal et détourne l'attention, et le modèle remplit moins de la moitié de l'image. De plus, une lumière excessive, provenant du haut, plonge son visage dans l'ombre.*

Les avantages d'un pied

Comme l'explique mon professeur, "s'il y a une chose qui distingue les portraits d'un professionnel des clichés d'un amateur, c'est le fait d'utiliser un pied. Les professionnels s'en servent toujours. C'est dommage, car un pied peut améliorer considérablement vos portraits. Il évite les vibrations, vous permet de composer et de maîtriser votre photographie et contribue à vous donner plus confiance en vous-même."
Ici, le pied permet au professionnel de faire sa photographie à une hauteur peu gênante : en dessous des yeux, tout en lui évitant de s'accroupir. De toutes façons, s'accroupir n'est pas une position idéale. Quand l'amateur l'a fait, il a basculé sur ses talons et s'est plus soucié de garder son équilibre.

Un travail de professionnel

1 FORMAT ET ÉCLAIRAGE
Le photographe a changé de format, afin que la jeune fille occupe toute l'image. Il a diminué la lumière blafarde qui venait du haut en déployant un store sur le toit. Pour combler les ombres, il a placé un grand panneau en polystyrène contre un tabouret.

2 METTEZ LE MODÈLE À L'AISE
Le photographe sait qu'on obtient les meilleures photographies dans une atmosphère détendue et joyeuse. Il a donc commencé par bavarder et plaisanter avec la jeune fille et a vite réussi à la mettre tout à fait à l'aise. Celle-ci a l'air beaucoup plus détendue, mais le fond inégal pose des problèmes.

Le savoir-faire professionnel

Le photographe a commencé par placer le compact sur un pied. Ce qui lui a permis de maîtriser la composition de sa photographie, de regarder la jeune fille et de lui parler, tout en conservant l'image dans le viseur. Celle-ci s'est vite détendue quand il a bavardé avec elle. C'était aussi plus agréable pour lui. Pour ma part, j'avais été un peu tendu.

Il a alors rangé la pièce qui était encombrée et en a fait le tour jusqu'à ce qu'il trouve un endroit apparemment approprié, avec un fond dégagé.

Il a ensuite maîtrisé la lumière disponible en utilisant un grand panneau en polystyrène pour la réfléchir sur la jeune fille. De plus, il a réduit la lumière qui venait du haut en déployant un store sur le toit (si vous n'avez pas de store chez vous, vous pouvez tout aussi bien utiliser un vieux drap ajusté avec des punaises).

L'éclairage

La lumière naturelle filtrait à travers la verrière et les fenêtres. Il y avait parfois du soleil, mais le plus souvent, le temps était couvert. Un store tout simple déployé sur le toit adoucissait la lumière venant du haut et lui donnait une tonalité chaude. Le photographe a aussi maîtrisé et réfléchi cette lumière sur le visage de la jeune fille en plaçant un panneau en polystyrène contre un tabouret.

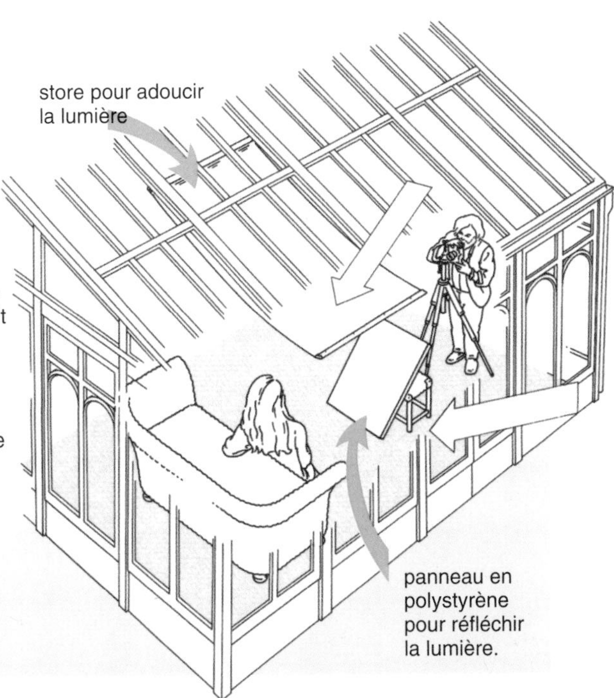

3 MODIFIEZ LE FOND
Comme le fond en grès et en briques divisait sa photographie en deux, derrière la tête de la jeune fille, le photographe a placé son modèle devant une fenêtre, où il y avait plus de lumière et moins d'éléments qui détournent l'attention. Mais Jo ne savait pas trop quoi faire de ses mains. De plus, le fond était toujours trop distrayant.

4 SIMPLIFIEZ LA PHOTOGRAPHIE
Le photographe a retiré les coussins et le dessus d'une chaise en osier, a installé la jeune fille devant celle-ci et l'a utilisée comme fond. C'est une bonne idée: cela donne un fond naturel et simple et permet au sujet d'occuper ses mains. C'est un bon exemple de la façon dont on peut adapter une pièce à ses besoins.

Mon tort a surtout été de ne pas impliquer la jeune fille dans la séance de photographies. J'étais tellement absorbé par mes problèmes techniques que j'ai oublié une évidence : je photographiais une personne et non quelque chose d'inanimé. J'aurais dû être plus amical et lui parler un peu plus. Je ne suis pas arrivé à la détendre et à la faire sourire de façon naturelle. Comme le photographe a utilisé son pied, il a pu détourner l'œil du viseur et bavarder avec la jeune fille, à son gré.

J'ai aussi appris à mieux maîtriser l'éclairage. J'ai vu que le front et le nez de la jeune fille captaient trop de lumière, alors que des ombres profondes assombrissaient ses yeux. Mais j'ignorais comment résoudre ce problème.

Compact

❑ le photographe et son élève ont utilisé un compact Olympus AZ 330, avec un zoom d'une focale de 38 à 105 mm. Comme pour la plupart des compacts, la pose, la vitesse d'obturation et la mise au point étaient toutes automatiques. Ils ont choisi un film pour papier à 400 ISO, en raison de la mauvaise luminosité en début de journée. Le plus souvent, ils ont utilisé l'appareil, avec le zoom à son maximum, ce qui a donné des gros plans de bonne qualité, sans risque de distorsion.

❑ Si votre appareil n'a pas de zoom, ne cédez pas à la tentation de trop vous approcher de votre modèle, juste pour remplir l'image. Un très gros plan risque de déformer ses traits : par exemple, le nez est souvent trop grand. Vous obtiendrez de meilleurs résultats, si vous cadrez l'image un peu plus amplement et prenez une photographie de la tête et des épaules.

Réflex

❑ On peut utiliser la plupart des reflex mono-objectif à une certaine distance, avec un déclencheur souple. Cela permet de se déplacer plus facilement et de parler au modèle, sans être obligé de revenir vers l'appareil pour prendre la photographie.

▲ *Après avoir tourné la chaise, le photographe a demandé à la jeune fille de s'appuyer sur le dossier. Il a vérifié qu'elle était assise confortablement et se sentait détendue, avant de prendre cette photographie d'elle, pleine d'affection, dans une tenue plus simple et moins distrayante. Cela a donné un portrait amical et plein de vitalité.*

▶ *Comme le photographe s'est rapproché de la jeune fille, le visage de son modèle remplit l'image. De plus, la lumière naturelle met en valeur ses traits. Elle a changé de pose, mais paraît toujours détendue. Le photographe a utilisé son pied pour prendre cette photographie légèrement au-dessus d'elle. Elle lève les yeux, ce qui est toujours un angle de vue avantageux.*

L'étude de personnalité

Après les portraits intimes, concentrons-nous sur la personnalité du modèle, dans l'étape suivante.

Faire une étude de personnalité est un exercice parfois difficile. Il faut, en effet, trouver un juste milieu entre mettre en valeur son modèle et révéler ses rides pour le rendre plus intéressant. L'expérience considérable de notre professeur s'est révélée essentielle, quand nous lui avons demandé son aide.

Nous nous sommes rendus à son studio, où nous a rejoints un ami, acteur à la retraite qui a accepté de poser pour nous.

Première étape

J'ai commencé en premier avec un Nikon FE2, un objectif de 50 mm et un film pour diapositives Ektachrome Professionnel de Kodak, à 64 ISO. J'ai placé l'appareil sur un pied pour pouvoir parler facilement à Frank, tout en prenant des photographies. Cela m'évitait d'être caché derrière le viseur.

J'ai décidé d'utiliser un éclairage simple : un flash de studio d'assez forte puissance, relié à l'appareil par une rallonge. On peut aussi se servir d'un flash de poche, détaché de l'appareil, qui donne un éclairage moins puissant. Le flash a été placé devant le modèle, légèrement au-dessus de sa tête, ce qui a bien éclairé son visage. En revanche, cet éclairage plutôt plat a légèrement oblitéré les contours et formé une ombre disgracieuse sous son menton.

J'ai obtenu un portrait assez beau, mais je savais que je pouvais l'améliorer pour révéler davantage la personnalité du modèle.

▶ ***Martin, le photographe amateur, a pris une photographie de face, toute simple, du modèle, avec un objectif ordinaire. Selon mon professeur, ce n'était pas mal pour un premier essai. Pourtant, l'éclairage ne met pas assez en valeur les contours de son visage. De plus, la couleur du fond ne convient pas. On dirait que le modèle est affalé sur la chaise. L'élève aurait dû réfléchir davantage pour trouver la pose la plus photogénique.***

Un peu de poudre

Votre modèle a peut-être le nez ou le front qui brille. Vraisemblablement, le flash va accentuer ce défaut. Un peu de poudre permet d'atténuer le reflet. Si votre modèle se rebiffe, rappelez-lui que les acteurs sont toujours maquillés face à la caméra.

La méthode du professeur

Le professeur a commencé à faire des photographies avec le même appareil que moi. Il a d'abord demandé à son modèle de mettre des vêtements plus foncés, puis a prévu un décor plus sombre. Dîtes toujours à votre modèle d'apporter au moins une tenue de rechange, afin d'avoir beaucoup de possibilités.

Le photographe a d'abord utilisé un objectif de 50 mm, avant de choisir un zoom de 70 à 210 mm pour faire un cadrage serré de la tête du modèle, tout en évitant les distorsions. Ceci lui a permis de changer les longueurs focales sans trop bouger le pied.

Un éclairage astucieux

Le photographe s'est ensuite concentré sur l'éclairage. Il avait d'abord utilisé un flash de studio au même emplacement que moi : face au modèle. Pourtant, il n'était pas satisfait du résultat : le visage du modèle paraissait plat et ses rides n'étaient pas assez visibles pour une étude de personnalité.

Il a éteint le flash et l'a remplacé par un éclairage latéral un peu moins puissant, disposé sur la gauche de l'acteur. L'éclairage latéral a créé des ombres et mis en valeur les contours de son visage. À l'intérieur ou en plein air, c'est souvent la meilleure solution pour les portraits.

D'après mon professeur, "l'essentiel est de trouver un bon éclairage, pour faire une étude du modèle qui révèle réellement sa personnalité. Un éclairage de face est à exclure, car il efface les ombres sur le visage du modèle. Or, nous voulons justement des ombres. Pour les obtenir, un éclairage latéral est nécessaire.

"Pensez à la façon dont la lumière change au cours de la journée. À midi, quand le soleil est au-dessus de votre tête, il ressemble à un éclairage par le haut : il est très plat et donne des ombres courtes. Mais vers le crépuscule ou l'aube, le soleil éclaire latéralement : les ombres sont donc plus longues et beaucoup plus apparentes".

LE PROFESSEUR DIRIGE LA PRISE DE VUES

1 UN FOND PLUS SOMBRE
Le photographe a commencé par prévoir un fond plus sombre. Il a accroché un rouleau de papier foncé derrière son modèle. "Nous allons créer beaucoup d'ombres sur le visage du modèle, explique mon professeur. La photographie définitive sera donc assez sombre. Le fond et ses vêtements doivent aussi être foncés ; sinon, l'effet sera gâché".

2 UNE TENUE APPROPRIÉE
Le photographe a demandé au modèle de mettre une chemise marron et un gilet sombre qu'il avait apportés. Le gilet rend la photographie plus intéressante et donne une note personnelle à la photographie. Grâce à la chemise pale, la tête du modèle ne semble pas flotter ! Ce cliché révèle mieux la personnalité du sujet que la photographie prise par l'élève.

Réflex

Choisissez une ouverture qui assure une profondeur de champ suffisante pour obtenir une image nette de votre modèle, mais évitez l'ouverture minimale, si vous voulez obtenir un fond flou.

Pour les portraits, choisissez une vitesse d'obturation d'au moins 1/60e de seconde, afin que votre modèle ne soit pas obligé de rester immobile trop longtemps.

Compact

Si vous avez un modèle à double objectif ou zoom, utilisez la plus longue focale pour des portraits en gros plan. Ceci permet de faire de plus belles photographies.

Si votre compact est équipé d'un objectif fixe, vous pouvez obtenir une meilleure photographie en reculant d'un pas. Mais l'image sera moins remplie.

3 UN CADRAGE PLUS SERRÉ
Le photographe a utilisé par la suite un zoom de 70 à 210 mm et l'a réglé sur 100 mm. "Je veux un cadrage serré de la tête et des épaules, a-t-il expliqué. Avec un objectif ordinaire, je serais obligé de me rapprocher de mon modèle, ce qui créerait un effet de distorsion."
Un éclairage de face a projeté une ombre disgracieuse sous le menton du modèle. Par conséquent, mon professeur doit ensuite modifier l'éclairage.

L'éclairage

4 UNE LUMIÈRE PLUS DOUCE
Le photographe a remplacé le flash de face avec un flash plus petit, sur la gauche du modèle. Il a mis du papier calque devant le flash, parce que "l'écran contribue à diffuser la lumière et à donner une image plus douce". Mais la moitié du visage de sujet était encore dans l'ombre.

5 AJOUTEZ UN RÉFLECTEUR
Le photographe a utilisé un grand morceau de polystyrène pour réfléchir la lumière sur le côté droit du visage du modèle. Cette partie n'était plus dans l'ombre, mais il n'était toujours pas satisfait : l'angle de vue mettait en valeur le front du modèle.

L'installation finale

La prise de vues s'est déroulée dans le studio de mon professeur. Mais on peut aussi bien faire des photographies dans un séjour qu'en studio, à condition que le fond soit simple. Le cadre était réduit au minimum : une chaise pour le modèle et un fond tout simple. Mike a utilisé un flash de studio, mais on peut aussi se servir d'un flash relié à l'appareil par un cordon de synchronisation.

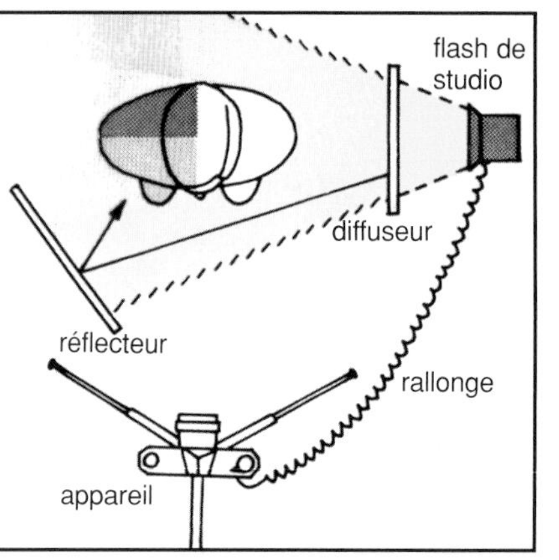

6 LA PHOTOGRAPHIE DÉFINITIVE Le photographe a demandé au modèle de tourner la tête vers la gauche, pour qu'il ne soit plus face à l'appareil. Il a utilisé un angle de vue légèrement inférieur pour obtenir une photographie plus plaisante, où le front du modèle est moins en évidence. Il a obtenu une étude de personnalité très agréable avec un éclairage doux, qui crée une bonne ambiance.

Le portrait en lumière naturelle

La lumière naturelle est, en général, plus douce qu'un flash. Elle est donc idéale pour les portraits en gros plan. Mais quand vous utilisez la lumière provenant d'une fenêtre, il est essentiel de la maîtriser et de la réfléchir.

Un bon portrait sophistiqué d'un ami ou d'un membre de votre famille est un souvenir merveilleux. Mais il n'est pas facile de prendre des photographies de vos proches, en intérieur. La lumière du flash est parfois très dure. De plus, il n'est pas aisé de louer des lampes de studio. Travailler avec la lumière du jour est une solution beaucoup moins coûteuse. De plus, elle peut donner d'excellents résultats, si vous la maîtrisez.

La lumière disponible était satisfaisante quand mon compagnon et moi-même avons commencé à prendre des photographies.

Une lumière inégale

J'ai préparé ma photographie en premier. J'ai demandé à la jeune fille de s'asseoir face à la fenêtre et de tourner ensuite sa tête sur le côté, afin de regarder directement l'appareil. Je pensais ainsi avoir assez de lumière. J'ai utilisé un Nikon F3, un film couleur pour diapositives, à 200 ISO, et un objectif ordinaire de 50 mm.
J'étais assez satisfait de la composition de ma photographie. La jeune fille a l'air à l'aise et détendue. De plus, l'angle de vue est intéressant.

▲ ***Pour cette photographie, le photographe a demandé à la jeune fille de s'asseoir sur le divan. Il l'a ensuite suffisamment éloignée des fenêtres pour qu'elle tourne entièrement son visage vers la lumière. Il l'a photographiée en plongée du haut d'une échelle pour faire ce portrait inspiré et original. Un réflecteur doré au pied de l'échelle donne une belle tonalité chaude à l'image.***

Le cadre

Nos deux photographes ont travaillé dans un séjour rectangulaire. Les seules sources de lumière naturelle provenaient de trois grandes fenêtres orientées vers l'est. Le premier a fait ses photographies très près de la fenêtre, sans réflecteurs. Le second a fait poser la jeune fille sur divers chaises et divans, avant de lui trouver une position confortable.

Le début de la journée a été assez ensoleillé, mais le temps s'est vite couvert. L'un des photographes a utilisé une série de réflecteurs dorés pour pallier cet inconvénient.

Pour faire ses dernières photographies, il a posé en équilibre un réflecteur devant elle et en a placé un autre plus grand sur sa droite, pour répartir la lumière sur tout son visage.

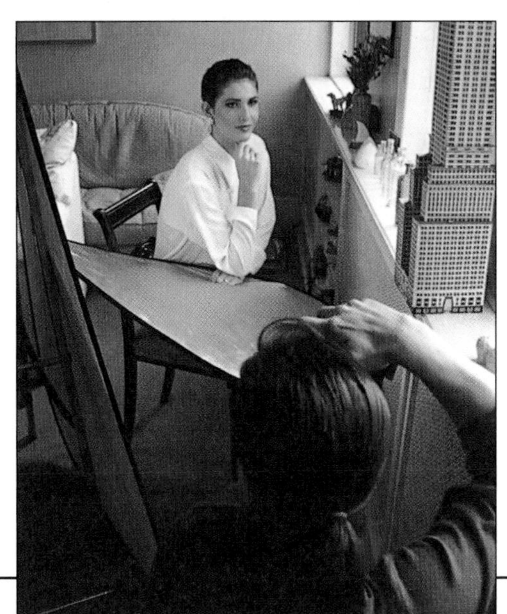

Mais l'éclairage n'était pas vraiment réussi. Comme le côté droit de son visage était directement face à la fenêtre, il était beaucoup trop lumineux dans l'image finale. En revanche, la partie gauche était beaucoup plus sombre. Dans l'ensemble, cette photographie comportait une lumière vive excessive, qui n'était pas maîtrisée.

Maîtriser la lumière

La première photographie de mon professeur ressemblait à la mienne : la jeune fille était assise de profil et regardait directement l'appareil. Il a aussi utilisé un Nikon F3, mais la ressemblance s'est arrêtée là. Il a choisi un objectif de 105 mm et un film à 800 ISO, assez rapide pour une faible luminosité. Il a donc pu baisser le store de la fenêtre, ce qui a supprimé la forte luminosité et adouci les contrastes.

Sur ses instructions, la jeune fille s'est assise sur diverses chaises et a circulé dans la pièce, pour qu'il trouve le meilleur éclairage. Il a même essayé de la photographier, perché sur une échelle. Comme le temps se couvrait au cours de la journée, il a utilisé des réflecteurs dorés pour profiter de la lumière disponible et un film plus rapide pour augmenter le grain.

Plus doux que le flash

"Si vous utilisez soigneusement la lumière naturelle, vous verrez qu'elle est beaucoup plus douce que le flash. Elle ne crée pas d'ombres dures et révèle admirablement la forme des visages, en particulier si la lumière vient d'un seul côté.

"Si vous avez à faire à une lumière directe, une feuille de papier calque l'adoucira beaucoup. Un store peu épais fera tout aussi bien l'affaire, comme nous l'avons montré aujourd'hui." On peut aussi utiliser un drap de coton blanc ou un voilage.

▲ ***La composition de l'élève est bonne. Il a réalisé un beau portrait d'un modèle plein de naturel et détendu. Mais l'éclairage est vraiment inadéquat, comme l'explique le professeur. "Il y avait du soleil quand a commencé sa séance de photographies, et la jeune fille était très près de la fenêtre. Cela a donné une photographie délavée, trop lumineuse et trop contrastée. On aurait dû ou l'éloigner davantage de la fenêtre, ou utiliser un store pour diffuser la lumière."***

COMMENT UTILISER LA LUMIÈRE NATURELLE

1 DIFFUSER LA LUMIERE
La première photographie de l'élève était semblable à celle du professeur, mais il a diffusé une vive lumière en baissant un store pâle. Il a utilisé un film rapide (800 ISO) adapté à la faible luminosité et un réflecteur pour réfléchir la lumière sur le côté gauche de son visage. Cela lui a permis de mettre en valeur le teint naturel de la jeune fille. Cependant, il y avait trop d'ombre sur le côté gauche de son visage.

2 UN ASPECT PLUS DOUX
Le professeur a choisi un film à 1600 ISO pour ce portrait, afin d'augmenter le grain. Il a recouvert son objectif d'un bout de bas noir pour obtenir un effet encore plus doux. Puis, il s'est servi du zoom pour faire un plan de la tête et des épaules de son modèle. La jeune fille était assise plus loin de la fenêtre, ce qui a changé le fond, mais a rendu la lumière moins intense et plus facile à maîtriser.

3 UNE TONALITÉ DORÉE
Pour cette photographie, la jeune fille s'est installée sur le divan, afin de bénéficier d'un meilleur fond. Pour compenser la perte de lumière, le professeur a retiré le filtre qu'il s'est concocté et a utilisé deux réflecteurs dorés, qui donnent à l'image un éclairage chaud et réparti équitablement. Il a changé l'apparence de la jeune fille en l'enveloppant d'un châle noir, lui a demandé de s'asseoir sur le bord du divan .

Note

Comment utiliser la lumière d'une fenêtre

Le plus grand inconvénient de la lumière qui provient d'une fenêtre, c'est qu'elle se répartit inégalement sur la photographie. Comme l'explique notre professeur, il peut donc être difficile d'obtenir une lumière uniforme. "Plus vous êtes prêt de la fenêtre, plus la lumière est répartie inégalement. Mais si vous vous éloignez trop, vous n'avez pas assez de lumière. Il faut trouver un juste milieu. Les réflecteurs sont très pratiques. Ils peuvent répartir uniformément la lumière sur un visage."

Réflex

Pour augmenter le grain d'un film pour diapositives, essayez de modifier son développement. Chargez votre appareil avec un film à 400 ISO, puis réglez votre vitesse d'obturation sur 1600. Ensuite, quand vous faites développer le film, demandez à ce qu'on le pousse de deux diaphragmes. Ceci vous donnera un maximum de grain, bien que vous risquiez d'obtenir des noirs légers, d'aspect verdâtre. Sinon, achetez un film conçu pour être poussé au développement et considérez-le comme un El 1600 ou même un El 3200.

Compact

On ne peut pas utiliser des films plus rapides que 400 ISO sur de nombreux compacts et donc on ne peut obtenir par ce moyen des effets granuleux. En revanche, il est possible de se servir d'un filtre à densité neutre (gris) sur l'objectif, en veillant à ce qu'il ne couvre pas le détecteur de pose. Cette méthode permettra d'obtenir les effets d'un film plus rapide. Pour rivaliser avec un film à 1600 ISO avec un compact, choisissez un filtre Kodak Wratten ND 0.6.

4 TOUT DANS LES YEUX Quand la jeune fille a mis un châle sur sa tête, le professeur a su que c'était le cliché dont il rêvait. Il lui a demandé de poser son menton sur sa main, puis l'a photographiée en gros plan et en légère plongée. Grâce à une vitesse d'obturation plus faible, le teint de la jeune fille ressort très bien et la couleur de ses yeux est mise en valeur. On dirait une photographie de mode.

Comment photographier les bébés

Nous avons surtout vu comment photographier des adultes, mais pour beaucoup d'entre nous, certaines des personnes les plus importantes dans notre vie sont encore très jeunes. Un photographe spécialisé donne un cours à notre élève sur cet art délicat.

J'ai photographié des enfants très jeunes et d'autres plus âgés, mais jamais des bébés. Bien que je sache à quel point c'est difficile, j'avais très envie de m'y mettre. J'ai donc demandé à un photographe professionnel, spécialisé dans les clichés d'enfants, de me montrer comment il procède avec les bébés âgés de moins d'un an.

Nous nous sommes retrouvés dans son petit studio. Pour avoir une plus grande marge de manœuvre, nous avions choisi deux modèles pour la prise de vues, une petite fille de huit mois et un petit garçon de sept mois. Si un des bébés n'était pas de bonne humeur, nous avions donc la possibilité de photographier l'autre.

Des débuts maladroits

J'ai décidé de passer en premier et de prendre le garçon comme modèle. Après avoir examiné divers fonds en toile, j'ai en ai choisi un d'un gris subtil, moucheté. Je me suis ensuite occupé de l'éclairage. Mon professeur m'a suggéré d'utiliser une boîte à lumière d'un côté pour un éclairage doux et un spot de l'autre pour mettre en valeur les yeux de l'enfant. J'ai décidé de garder un fond sombre pour que le regard soit immédiatement attiré vers le modèle.

J'ai demandé à sa maman de lui mettre des blue jeans que j'avais choisis, puis je l'ai assis au milieu de mon décor. J'ai attendu quelques minutes qu'il s'installe avant de

Le décor

Nos deux photographes ont réalisé leurs clichés dans un petit studio professionnel. Ils ont tous les deux utilisé le Mamiya RZ67, placé très bas sur un pied, afin que l'objectif de 180 mm soit au niveau des yeux des bébés. Ils ont tous deux mis une boîte à lumière sur la gauche des bébés, comme éclairage général, et un spot sur la droite pour mettre en valeur leurs yeux. L'élève a choisi un fond gris, non éclairé. Mais le professeur a préféré un fond bleu beaucoup plus pimpant et a utilisé un parapluie de chaque côté du décor pour l'éclairer. Il a aussi donné divers hochets et jouets aux bébés pour les occuper et les pousser à regarder l'appareil.

▼ ***De temps en temps, notre professeur aime photographier les bébés avec des jouets. Ils les distraient et rendent les clichés plus intéressants. Au début, la petite fille renversait sans cesse ces peluches, mais elle s'est finalement calmée et a regardé dans la bonne direction.***

DES BÉBÉS SPLENDIDES

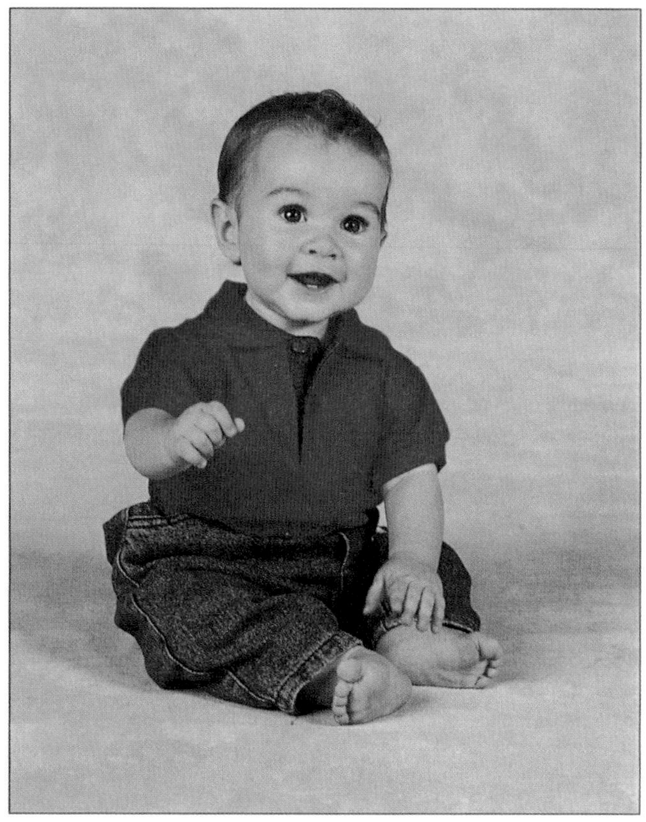

1 UNE PHOTOGRAPHIE PLUS GAIE
En choisissant un fond bleu clair et en l'éclairant avec deux parapluies, notre professeur a créé un décor beaucoup plus gai. Il a choisi une tenue rayée pour le petit garçon et lui a donné un ours en peluche. Comme il lui a vraiment consacré du temps, le modèle a l'air beaucoup plus content.

2 ON CHANGE DE MODÈLES
Quand le petit garçon a commencé à être fatigué, notre professeur a décidé de le laisser se reposer et de s'occuper de la petite fille. Il lui a mis une chemise rouge et des blue jeans et a joué avec elle quelques minutes, avant de la poser sur la toile. Puis il a agité un hochet pour que le bébé regarde l'appareil.

▶ L'élève a demandé à la mère du garçon de lui passer de superbes blue jeans pour cette photographie. Malheureusement, ils étaient un peu grands et lui donnaient un air débraillé. La photographie est trop sombre, parce que le fond n'est pas assez éclairé. De plus, le bébé a l'air mal à l'aise et bave.

commencer la séance de photographies. Mais même à ce moment-là, il n'avait pas l'air très content.

J'ai utilisé le Mamiya RZ67, de format moyen de mon professeur, avec un objectif de 180 mm et un film pour diapositives Ektachrome EPR de Kodak, à 64 ISO. Mais j'ai été déçu par les résultats : les photographies étaient toutes trop sombres. De plus, le petit garçon avait l'air mal à l'aise et manquait de naturel dans une tenue trop grande. J'aurais dû prendre plus de temps pour faire connaissance avec lui, au lieu d'être aussi pressé de faire les photographies.

Un fond plus clair

Quand il a pris le relais, mon professeur a commencé par changer le fond. La toile grise que j'avais choisie lui paraissait trop terne pour une photographie d'enfant. Il l'a donc

3 TOUTE NUE Pour obtenir une photographie plus naturelle, mon professeur a décidé de faire un gros plan de la petite fille toute nue. Au début, le bébé était un peu perturbé et a essayé de se traîner à quatre pattes hors du champ. On lui a alors donné un ours en peluche pour la distraire. Le spot qui l'éclaire depuis le côté droit du décor met parfaitement en valeur ses yeux magnifiques.

remplacée par un fond bleu, pimpant. La façon dont j'avais éclairé le bébé lui semblait satisfaisante, mais il trouvait le fond beaucoup trop sombre. Il a donc placé un parapluie de chaque côté de la toile de fond pour l'éclairer.

Il s'est ensuite occupé du petit garçon en remplaçant ses jeans trop grands par une tenue rayée plus seyante et appropriée. Et surtout, il a passé du temps à jouer avec lui et à le mettre à l'aise, avant de commencer à le photographier. Il n'a pas entamé sa prise de vues avant qu'il ait l'air détendu et content. Il a alors utilisé le même appareil, le même film et le même objectif que moi.

Un nouveau modèle

Quand mon professeur eut fini de photographier le petit garçon, qui serrait joyeusement un ours en peluche, il montrait des signes de fatigue. Comme, de toute évidence, il allait se mettre à pleurer, il a décidé de le laisser se reposer et s'est tourné vers son second modèle. Il lui a simplement passé une chemise rouge et des blue jeans et l'a placée par terre, au même endroit où il avait photographié le garçon.

Pendant que son assistant distrayait le bébé en agitant des hochets et en faisant des grimaces, mon professeur a pris une série de photographies de la petite fille tout sourire, seule et entourée d'ours en peluche. Puis, il a essayé de la photographier nue, afin qu'elle ait l'air plus naturelle. Comme il était satisfait de sa photographie du modèle serrant son ours, il a décidé de photographier les deux bébés ensemble dans leurs couches.

Deux bébés

Le garçon avait récupéré et était disponible à nouveau. Le professeur les a donc assis ensemble dans le décor et a attendu de voir ce qui allait se passer. C'était fascinant d'observer les deux bébés qui se découvraient progressivement et commençaient à se toucher. D'abord, ils n'étaient pas très à l'aise, mais très vite, ils se sont mis à jouer ensemble joyeusement, sous l'objectif du photographe.

Note — La simplicité avant tout

Comme tous les enfants, les bébés sont imprévisibles et n'aiment pas rester immobiles longtemps, au même endroit. Rappelez-vous ceci pendant que vous préparez l'éclairage. Ne prévoyez rien de compliqué et essayez de ne pas utiliser plus de deux sources lumineuses. Plus l'installation est compliquée, plus vous aurez du mal à la modifier, quand votre modèle s'impatientera et commencera à se déplacer.

Comme les bébés se fatiguent très vite, il faudra les photographier au cours de brèves séances. Veillez aussi à ce qu'ils ne soient pas effrayés par le flash, avant de commencer à l'utiliser.

4 ÉTABLIR LE CONTACT Le professeur a ensuite assis les bébés ensemble dans le décor pour voir comment ils réagiraient l'un à l'autre. Au début, ils n'étaient pas très à l'aise, mais la curiosité l'a vite emporté, et ils se sont mis à jouer ensemble avec plaisir. En les aidant à faire connaissance progressivement, il a obtenu de superbes photographies.

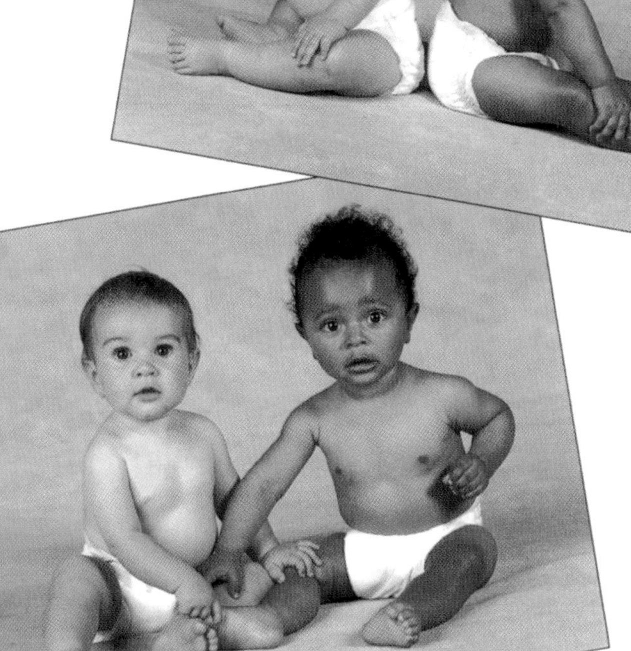

5 ▼ UNE CURIOSITÉ RÉCIPROQUE Le professeur a pris toute une série de photographies des bébés en train de faire connaissance, mais celle-ci est la meilleure. Elle saisit le moment où les deux modèles se sont d'abord remarqués. Le mélange de curiosité et de stupéfaction est nettement visible sur leurs visages.

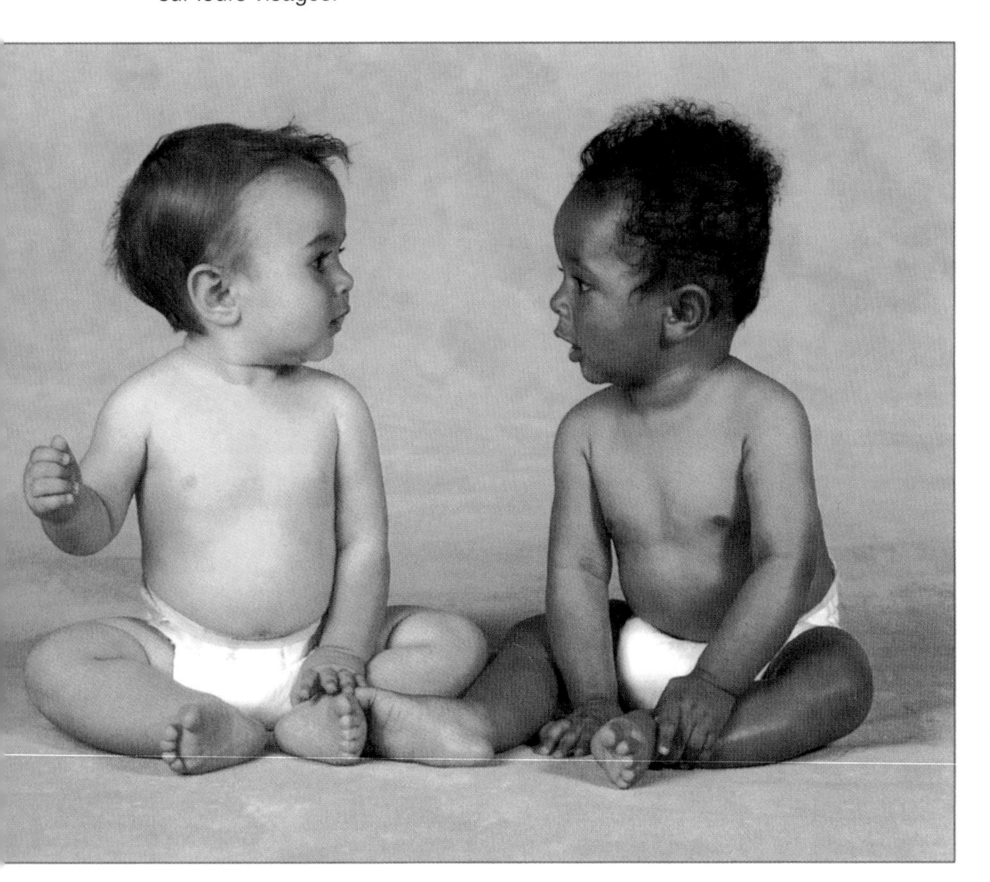

Compact

❏ Vous pouvez obtenir très simplement un éclairage semblable chez vous, en utilisant la lumière du jour et le flash de votre appareil. Utilisez comme éclairage principal la lumière provenant d'une grande fenêtre, à condition qu'elle ne soit pas inondée de soleil. Le flash vous permettra de restituer la lumière vive provenant du spot, dans le studio. Réglez le flash sur la touche fill-in — s'il comporte cette option —, mais masquez la moitié du réflecteur avec une carte noire ou un morceau d'adhésif, pour réduire l'intensité du flash.

Réflex

❏ Les plus longues focales utilisées, en général, pour les portraits ne sont pas toujours nécessaires, si on photographie des enfants. Vous découvrirez qu'il est plus facile d'obtenir de superbes expressions chez votre modèle en utilisant un objectif ordinaire de 50 mm et en vous approchant beaucoup plus de lui. L'objectif standard déforme les traits des adultes, mais convient tout à fait aux visages des enfants, qui sont beaucoup plus plats. Nous avons aussi l'habitude de voir les enfants de très près, alors que nous avons tendance à parler à un adulte de plus loin.

Les enfants dans le studio

Des portraits tout simples d'enfants sont merveilleux, mais des photographies plus sophistiquées ont aussi un certain charme. Un spécialiste explique à notre élève comment faire un portrait en studio d'un jeune modèle.

Vu le vaste choix de matériel disponible dans le studio, je me sentais gâtée. J'ai estimé qu'il valait mieux aller au plus simple. J'ai choisi le Nikon F3 de mon professeur, muni d'un moteur d'entraînement, et un objectif de 50 mm.

Je lui ai demandé de choisir un film pour diapositives approprié. Il a pris l'Ektachrome de Kodak, à 100 ISO, parce que, selon lui, il rendrait bien la carnation du modèle.

Il fallait ensuite choisir l'éclairage. Le modèle attendait avec impatience le début de la séance de photographies. J'ai donc décidé d'utiliser un seul éclairage, que j'ai dirigé sur le côté de son visage. Le professeur l'a fixé de façon à ce qu'il fonctionne comme un flash synchronisé relié à l'appareil par un câble. Cela me permettait de voir comment la lumière éclairait le visage du sujet, avant le déclenchement du flash.

Lorsque j'ai trouvé où placer l'éclairage et poser le pied et que j'ai calculé le temps de pose, j'ai oublié un des points les plus essentiels : le modèle était seulement âgé de six ans et avait besoin de s'occuper. Il en avait assez, quand j'ai finalement terminé mes préparatifs. Comme il n'était plus dans le coup, j'avais perdu l'occasion de faire une photographie correcte. Il était grand temps de soulager le modèle et de le confier au professeur.

▲ ***Notre élève fait de la photo avec enthousiasme pendant ses loisirs.***

▲ ***Notre professeur est un photographe professionnel réputé.***

Le décor du studio

Comme le professeur a utilisé un flash de studio, il a dû placer un morceau de carton entre l'appareil et celui-ci. "Contrairement au flash d'un appareil, un flash distinct risque de produire une lueur très vive. La lumière pourrait être diffusée du flash, orienté adéquatement, vers l'appareil. Le carton n'est même pas indispensable. Demandez simplement à quelqu'un de se mettre près de l'éclairage pour le masquer par rapport à l'appareil."

Un vieux drap teint dans une couleur neutre et fixé avec des punaises peut servir de toile de fond. Sinon, approchez-vous tellement de l'enfant que vous ne voyez qu'elle.

Notre fond était gris moucheté. Pour en obtenir un semblable, chez vous, teignez un vieux drap dans un gris ni trop clair, ni trop foncé. A l'aide d'une éponge, appliquez de la teinture grise plus ou moins claire sur le tissu. Pour suspendre le fond, fixez-le à l'aide de pinces à une corde à linge placée entre la partie supérieure d'une porte et le haut d'une fenêtre.

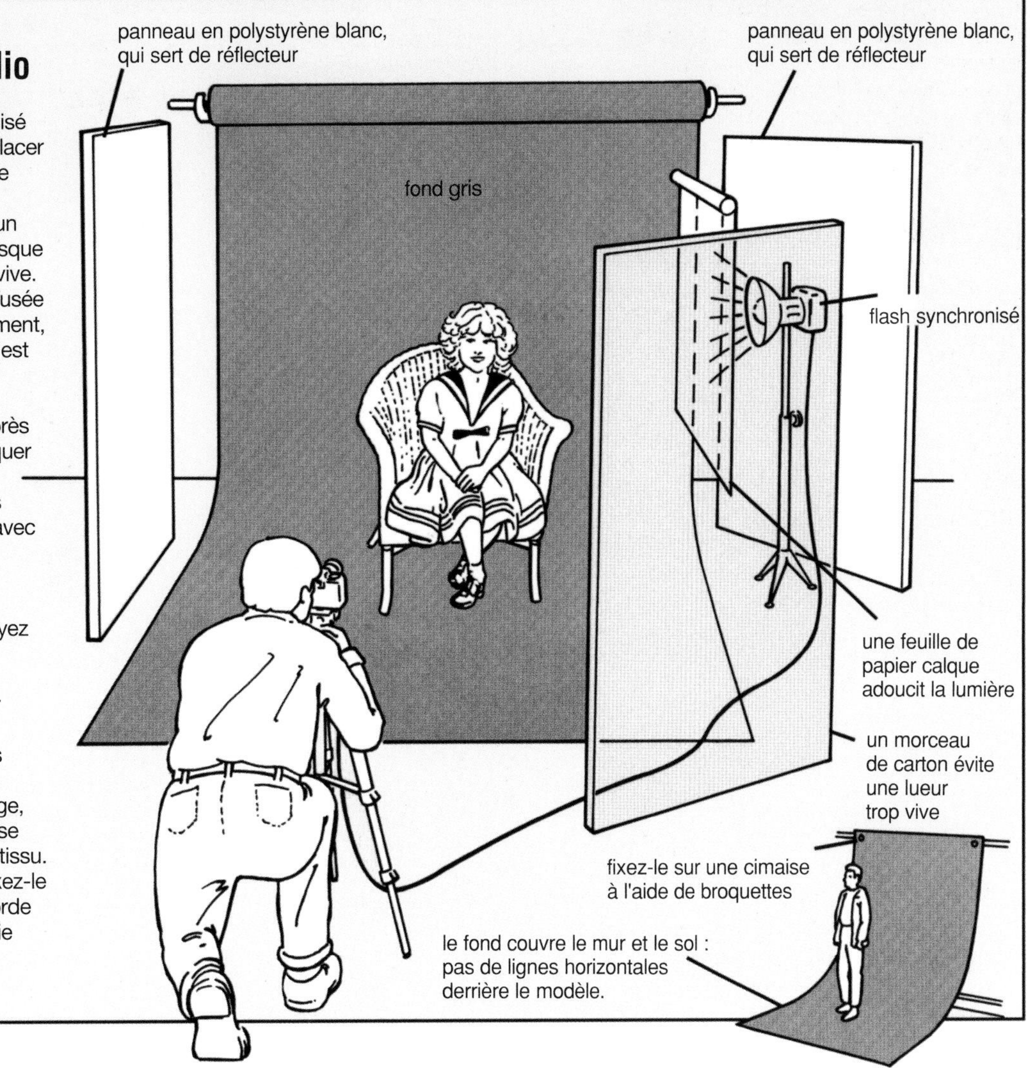

▲ *L'élève n'est pas satisfaite de l'éclairage sur sa photographie. Comme la lumière réfléchie est insuffisante, le côté gauche de la fillette est si mal éclairé qu'il est presque plongé dans l'obscurité. De plus, une ombre disgracieuse se profile dans le fond.*

QUELQUES VARIANTES

1 METTEZ LE MODÈLE À L'AISE ET RÉFLÉCHISSEZ LA LUMIÈRE

Le professeur a commencé par aider le modèle à se détendre en le faisant s'asseoir. Il a ensuite placé un grand panneau blanc du côté opposé à l'éclairage. Il réfléchit la lumière sur le côté de son visage, dans l'ombre.

Un moment ludique

Quand le professeur a pris la relève, il a réussi à sortir le modèle de lui-même en quelques instants. Il l'a impliqué tout de suite en la faisant parler et en la poussant à offrir ses plus beaux sourires à l'objectif.

Pour la faire bouger, le professeur a fait prendre diverses poses à la fillette en transformant la séance de photographies en un grand jeu. "Lève les mains en l'air... Baisse-les", lui a-t-il crié sur un ton enjoué.

Privilégiez la simplicité

Puis il a décidé de conserver la toile de fond grise et neutre que j'avais choisie. Éclairée différemment, elle avait l'avantage de paraître très claire ou très foncée, en fonction de l'effet requis.

Il a ensuite examiné la fillette un certain temps, avant même de sortir son appareil. Il lui a expliqué qu'il la photographierait en partie en fonction de ses vêtements. "Cela ne sert à rien de photographier une fille vêtue d'une jolie robe et de la pousser à faire la folle, à faire des sauts et à se comporter comme un garçon manqué. Il faut adapter la photographie à l'humeur créée par les habits d'un enfant."

Je me demandais si mon professeur allait utiliser des accessoires pour faire cette photographie. Il avait, en effet, une boîte pleine de jouets pour occuper ses jeunes modèles dans le studio. "J'essaie de ne pas utiliser d'accessoires, car ils ne font que compliquer la prise de vues. C'est un souci de plus", a-t-il précisé.

Éclairez le modèle

Il s'est contenté d'utiliser un seul éclairage, comme moi, mais en cherchant des résultats différents. Pour ma part, j'avais eu deux énormes problèmes d'éclairage. Le côté du modèle le plus éloigné de la source lumineuse était plongé dans l'obscurité. De plus, l'éclairage

2 RAPPROCHEZ-VOUS DU MODÈLE
Le photographe a remarqué que les chaussures de la fillette n'allaient pas vraiment avec sa robe. Il se rapproche donc beaucoup plus d'elle pour qu'elles ne figurent pas sur la photographie. Il a aussi choisi un pied beaucoup plus lourd. Celui que j'avais utilisé était, en effet, si léger qu'il était instable.

3 OBTENEZ UN EFFET PLUS DOUX
Le photographe a adouci l'éclairage encore davantage en ajoutant un autre réflecteur qui réfléchit plus de lumière sur la fillette, par l'avant. On obtient exactement le même effet que si la lumière avait été réfléchie depuis un coin de la pièce.

créait une ombre qui détournait l'attention, derrière elle.

Le professeur a d'abord placé un grand panneau en polystyrène du côté du modèle le plus éloigné de la source lumineuse. "Je regarde toujours ce qui passe dans l'ombre. Le contraste entre un côté de son visage et l'autre montre qu'il faut éclairer le côté dans l'ombre", a-t-il expliqué.

Quant à la grande ombre dans le fond, sur ma photographie, j'aurais eu le même problème si j'avais utilisé un appareil avec un flash direct, selon mon professeur. Pour éviter cela, on pourrait placer le modèle debout, directement contre le fond. Ou alors on pourrait tout simplement se rapprocher davantage du modèle et éliminer presque complètement le fond.

Une lumière réfléchie

Mon professeur a utilisé deux réflecteurs, l'un face à la source lumineuse et l'autre devant la fillette. Pour adoucir la lumière, il a même placé un écran recouvert de papier calque devant l'éclairage.

En constatant tout le mal qu'il s'est donné, j'ai compris à quel point l'éclairage était déterminant pour faire une bonne photographie, au lieu d'une image médiocre.

Un aspect rayonnant

D'après mon professeur, un écran de flou permet d'obtenir des images plus douces. "Un bon écran comme un Hasselblad devrait atténuer les rehauts clairs. Ceci donne au modèle une apparence légèrement rayonnante et plus douce. Malheureusement, bien que l'écran Hasselblad soit le meilleur, il est aussi très cher." Pourtant, on peut trouver des écrans de flou moins coûteux. Comme la fillette avait un teint de pêche parfait, mon professeur a décidé de ne pas utiliser d'écran pour ces photographies.

Réflex

Mesurer la lumière
En studio, nous avons dû mesurer la lumière avec un posemètre incident. Vous pouvez adopter cette méthode chez vous, si vous avez un posemètre. Pour cela, mesurez la lumière qui éclaire le modèle et non celle qu'il réfléchit.
Suivez les recommandations d'un spécialiste : "Mesurez deux fois la lumière depuis le visage du modèle. La première fois, orientez le posemètre depuis le visage vers l'appareil. La seconde fois, dirigez le posemètre depuis le visage vers la source lumineuse. Le temps de pose correct se situera entre les deux mesures."

Un flash amovible
On peut louer une lampe de studio chez un fournisseur de matériel photographique professionnel, mais c'est une solution coûteuse. Pourtant, si vous êtes équipé d'un flash amovible, vous pouvez acheter pour une somme modique un câble de synchronisation qui déclenche le flash, quand il n'est pas fixé sur l'appareil.
Pour mettre en valeur votre modèle, placez votre éclairage dans un angle qui l'avantage. Pour vérifier l'effet obtenu, orientez une lampe de bureau ordinaire vers le modèle. Déplacez-la jusqu'à ce que vous ayez trouvé l'angle à partir duquel vous voulez diffuser la lumière. Remplacez ensuite la lampe par votre flash. Pensez à éteindre la lampe avant de prendre votre photographie, afin d'utiliser seulement le flash. Demandez à un ami de tenir le flash dans la position voulue ou fixez-le avec une pince ordinaire sur une bibliothèque ou une autre installation.

Compact

Un compact ne convient pas vraiment pour ce type de photographies en studio, parce qu'il faut utiliser un flash distinct. Pour faire un bon portrait avec un compact, il vaudrait mieux utiliser la lumière naturelle provenant d'une fenêtre ou faire une photographie en plein air. S'il n'y a pas assez de lumière, on peut aussi se servir d'un flash doté d'une touche fill-in, si votre appareil en est doté.

▲ Le photographe a estimé que d'autres vêtements iraient mieux avec les jolis cheveux bouclés de la fillette et donneraient une bien meilleure photographie. Il a choisi une robe seyante, qui crée un effet plus doux

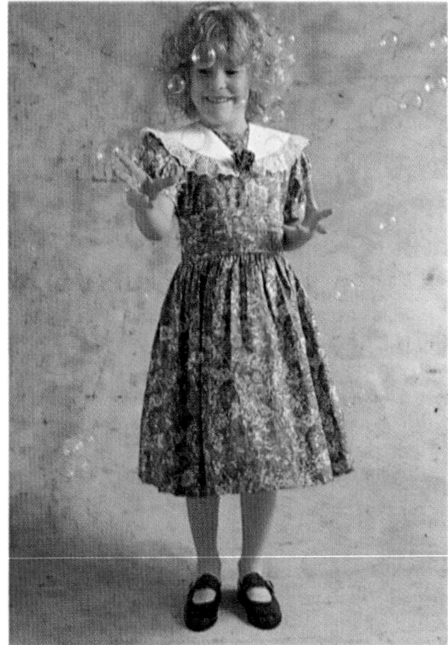

◀ Au bout d'un moment, même un enfant bien élévé commence à s'ennuyer pendant une séance de photographies. Il vaut mieux avoir une ou deux idées qui distraient votre jeune modèle. Notre spécialiste nous a confié un de ses secrets de professionnel : utilisez un flacon de bulles. Il amuse toujours un enfant qui s'ennuie et donne de superbes photographies.

Le portrait de famille

Un photographe professionnel nous explique comment prendre une photographie de famille.

"Avez-vous déjà essayé de faire taire votre famille et de l'obliger à rester immobile pour la prendre en photo ? Je n'y suis jamais parvenu. J'ai donc demandé à un photographe professionnel de m'expliquer comment il s'y prenait pour faire une photo de famille correcte. Une famille a accepté de se laisser photographier à son domicile, avec une patience à toute épreuve.

Nous avons décidé de faire un portrait de groupe assez étudié. Nous avons tous deux utilisé des Nikon FE2, et mon professeur a choisi le film pour diapositives Ektachrome 100 Plus, à tonalité chaude, qui rend bien les carnations. Mais choisissez plutôt un film pour papier à 100 ISO, si vous voulez faire des photos pour l'album de famille.

Le décor

Ces clichés ont été réalisés dans une longue pièce regroupant le séjour et la salle à manger. Les deux photographes ont commencé par faire poser leurs modèles sur le sofa à l'avant de la pièce, mais le professeur est vite passé dans la salle à manger, moins encombrée, dans l'espoir de trouver quelques accessoires qui révèlent la personnalité de la famille. Noter que les plafonds hauts et blancs étaient légèrement teintés de rose.

Les deux photographes ont d'abord utilisé un flash portatif, mais le professeur a ensuite choisi un flash plus puissant, relié au secteur.

▼ ***La famille paraît assez détendue sur la première photo prise par mon professeur. Mais les têtes sont trop éloignées les unes des autres pour créer un effet intime. De plus, le fond est loin d'être idéal.***

Note

Saisir l'instant

"Photographier un groupe, où figure un enfant en bas âge est parfois difficile, explique mon professeur. Il faut souvent travailler très vite, avant que l'enfant s'ennuie. Parfois, chacun se concentre sur l'enfant pour le pousser à fixer les yeux sur l'appareil photo. Pendant ce temps, ils ne regardent plus l'objectif eux-mêmes, ce qui pose un problème. Vérifiez donc d'abord que tout le reste du groupe regarde dans la bonne direction. Au lieu d'attendre que l'enfant réagisse, commencez à prendre des photos. Il finira par regarder où il faut."

▼ *On trouve quelques erreurs faciles à éviter sur la première photo de l'élève. L'accoudoir du sofa masque partiellement le garçon sur la gauche. De plus, la poupée sur la droite détourne carrément l'attention : on dirait presque un autre bébé. La lampe produit le même effet. De plus, les garçons ont l'air de s'ennuyer.*

▲ ***Ici, il y a un défaut d'éclairage. Pour adoucir les ombres, l'élève a orienté le flash vers le haut, mais la teinte rosée du plafond a coloré la lumière. De plus, le plafond est trop haut pour que le flash l'atteigne vraiment. La photo est donc trop sombre.***

FAIRE POSER LA FAMILLE

1 DES DÉBUTS MALADROITS
Le professeur a d'abord assis ses modèles dans des positions diverses pour varier la composition de ses photos, puis a fait des essais avec l'éclairage. Il a allumé une lampe au tungstène derrière ses modèles pour voir ce que cela donnerait. Il a ensuite demandé à la mère de porter un pull plus vif et d'ajouter des fleurs pour rendre la photo plus gaie. Mais les garçons sont mal placés devant les fleurs et le pied de lampe, ce qui donne un aspect maladroit à la photo.

Des problèmes d'éclairage

"J'ai commencé ma prise de vues en premier avec un objectif de 50 mm et un flash fixé à l'appareil, dirigé directement sur les sujets. Mais un flash direct crée des ombres très dures derrière les modèles. J'ai donc décidé d'essayer de le réfléchir sur le plafond. Cela diffuse la lumière sur une surface plus large et adoucit les ombres.

C'était une erreur de choisir un objectif ordinaire de 50 mm pour prendre des photos dans un petit séjour. J'ai fini par heurter une chaise en reculant, parce que je n'avais pas assez de place pour réunir toute la famille sur la photo. Il aurait été plus judicieux de choisir un objectif à plus grand angle. Le plafond me posait aussi un gros problème : il était trop haut pour réfléchir la lumière adéquatement. La plupart de mes clichés étaient donc beaucoup trop sombres."

Le professeur prend le relais

Le professeur a commencé par étudier l'aspect que présentait la famille sur le sofa. Il a assis ses modèles à divers endroits pour trouver la meilleure présentation. "Une des erreurs les plus courantes est d'aligner des personnes sur un sofa, explique-t-il. Cela donne une photo tout en longueur, étriquée et sans intérêt. Essayez de créer une composition plus arrondie, pour que le regard se déplace d'une personne à l'autre de manière circulaire."

Un plus grand angle

Le professeur a utilisé un objectif à grand angle de 24 mm, ce qui lui a donné l'assurance de disposer d'une marge de manœuvre beaucoup plus grande. En contrepartie, beaucoup d'autres éléments allaient figurer sur la photo. Il a donc rangé tous les jouets, les magazines et les autres objets encombrants.

2 CHANGEMENT DE TACTIQUE
En installant la famille dans la salle à manger et en utilisant un objectif à grand angle de 24 mm, le professeur a réussi à faire figurer sur la photo des objets familiers, qui révèlent mieux la personnalité du groupe. La composition devient intéressante, parce que la mère et un garçon sont maintenant debout. De plus, l'éclairage est parfait, mais trop d'éléments figurent sur la photo.

3 LA BELLE AU BOIS DORMANT
Épuisé par cette expérience excitante, le bébé est tombé dans un sommeil profond. La famille voulait qu'elle figure quand même sur la photo. Sa minuscule silhouette ajoute une note tendre à la photo. Mais la mère paraît isolée et mal à l'aise au bord du groupe. De plus, le fond encombré détourne trop l'attention.

Il a commencé par se servir d'un petit flash fixé sur l'appareil pour réfléchir la lumière sur le plafond, comme je l'avais fait. Mais il a ouvert le diaphragme pour compenser la distance supplémentaire que la lumière devait parcourir.

Finalement, il a décidé d'utiliser un flash sur un support et relié au secteur, en raison de la légère teinte rose du plafond. Il a rendu la lumière diffuse en la réfléchissant sur un parapluie blanc derrière le support.

Bavarder avec la famille

Le professeur n'était pas satisfait du décor. Les membres de la famille étaient mal assis et mal à l'aise. Il fallait donc les installer ailleurs. Le bébé n'était plus fasciné par le flash magique et commençait à être grognon. Nous avons donc décidé de faire une pause pour prendre le thé.

Le professeur a bavardé avec les membres de la famille et leur a posé des questions sur leur travail, l'école et leurs loisirs. "J'aime obtenir le maximum d'informations sur les personnes que je photographie et sur leurs activités communes, a-t-il expliqué. S'ils ont une passion commune, j'essaie de la montrer sur ma photo."

Il a découvert que la famille avait des penchants artistiques. Comme de nombreux objets colorés ornaient la pièce, il a pensé qu'ils seraient plus à l'aise parmi certains d'entre eux.

Les membres de la famille ont finalement commencé à se détendre, probablement en partie parce qu'ils se sentaient dans un environnement plus familier. Comme le professeur l'a fait remarquer, les personnes mettent du temps à se sentir à l'aise. "Je ne m'attends jamais à faire des photos satisfaisantes sur mon premier rouleau de film. Il faut cette quantité de photos pour que la plupart des gens commencent à se sentir à l'aise."

Se rapprocher des modèles

La famille était maintenant beaucoup plus à l'aise. D'ailleurs, la petite fille était si détendue qu'elle s'est endormie. Selon le professeur, il était temps de se concentrer sur les visages de ses modèles.

Il a remplacé le grand angle par un objectif de 85 mm, l'objectif idéal pour les portraits. le professeur a pris la précaution de laisser un peu d'espace autour de l'image.

"Il ne faut pas avoir une marge trop grande, mais une petite peut s'avérer utile. Si vous n'aimez pas votre cadrage par la suite, vous pouvez toujours recadrer vos épreuves. Il est bon de prendre des séries de deux photos. De nombreuses personnes ont tendance à se crisper, en effet, avant qu'une photo soit prise. Aussi, le bruit de l'obturateur qui se déclenche la première fois les aide souvent à se détendre. "

Compact

❏ Plus le groupe que vous photographiez est grand, plus il est difficile de faire une photo sur laquelle tout le monde a les yeux ouverts et sourit. La seule façon de faire à coup sûr un bon portrait de groupe, c'est d'utiliser une grande quantité de film.

❏ Sous l'objectif, les personnes ont l'air plus éloignées les unes des autres qu'elles ne le sont réellement. Si vous voulez faire un portrait de groupe intime, assurez-vous par-dessus tout que vos modèles sont assis très près les uns des autres.

Réflex

❏ Pour éviter toute perte de luminosité éventuelle en réfléchissant un flash sur un plafond élevé, retirez-le de l'appareil et placez-le plus près du plafond. (Collez le flash sur le haut d'une porte ou une étagère avec du ruban adhésif). On peut synchroniser le flash avec une cellule secondaire, en déclenchant un minuscule flash à partir du porte-flash de l'appareil. La lumière du flash sur l'appareil illuminera aussi les yeux de tout le monde.

4 UNE FAMILLE UNIE
Pour faire un gros plan de la famille, le professeur lui a demandé de se regrouper, pour qu'il y ait très peu d'espace entre leurs têtes. En utilisant un objectif de 85 mm adapté aux portraits, il pouvait vraiment se rapprocher de ses modèles pour faire un gros plan sans marcher sur leurs pieds. Ils ont tous l'air détendus et contents sur cette photo.

Photographier des fleurs

Pour prendre de superbes photographies de fleurs, n'allez pas plus loin que votre jardin ou le parc municipal.

C'est par une belle journée ensoleillée que notre expert en photographie et son élève décident d'aller faire un tour à la recherche de jolies fleurs des prés à photographier. S'ils trouvent de magnifiques champs de boutons d'or et de cerfeuil sauvage, ils constatent aussi que la saison n'est pas suffisamment avancée pour qu'ils rencontrent toutes les variétés de fleurs qu'ils espèrent photographier.

Mais notre professeur a une idée. Il connaît en effet un ami qui vit pas très loin et possède un grand jardin. Lorsqu'ils arrivent chez cet ami, ils découvrent avec ravissement un somptueux jardin rempli de fleurs de toutes les couleurs. Mais il est déjà midi passé. "Quand on veut photographier des fleurs, explique notre professeur de photographie, il vaut mieux commencer le plus tôt possible le matin, parce qu'elles se flétrissent très vite avec la chaleur du soleil. Ne perdons pas une minute."

S'installer

L'élève avait emporté un appareil reflex Pentax ME Super équipé d'un objectif de 50 mm et chargé avec une pellicule diapositives Fujichrome de 100 ISO. Mais il y a tant de jolies fleurs dans le jardin qu'il ne sait pas par où commencer. Il finit par choisir un parterre de coquelicots d'une belle teinte rouge-orangé qui se trouve près de la palissade. Ce sont des coquelicots de jardin, plus grands que ceux que l'on voit dans les champs.

Il repère un coquelicot qui pousse à part et le cadre en se rapprochant de la fleur aussi près que possible mais sans réussir à obtenir que la fleur remplisse parfaitement le champ de vue de son objectif.

Notre élève change donc de sujet et s'intéresse à un petit parterre de coquelicots qui poussent tout près de la palissade. Il s'installe de façon à avoir les yeux au niveau des pétales des fleurs et il règle la vitesse d'obturation. Mais ses photographies sont toutes ratées, la palissade apparaissant de manière beaucoup trop nette en arrière-plan.

▲ ***Notre professeur fait une expérience. Il fixe quatre morceaux de ruban adhésif transparent sur un porte-filtre, en prenant soin de laisser une ouverture au centre puis il place le porte-filtre devant l'objectif de son appareil photographique. Le ruban donne un effet de flou artistique à tout le pourtour de l'image.***

Le décor

Les coquelicots poussent dans une bordure située le long de la palissade entourant le jardin, ce qui limite fortement les angles de prises de vues. Le professeur de photographie et son élève sont donc obligés de prendre leurs photographies en installant leurs appareils sur la pelouse. Par la suite, notre expert réussit à placer son appareil juste au-dessus du parterre de coquelicots.

◀ *Avec un objectif de 50 mm, le coquelicot apparaît un peu perdu sur la photographie. Les pétales ne sont pas assez ouverts et le feuillage, tout autour de l'image, étouffe quelque peu la fleur.*

▶ *L'élève pense qu'un temps de pose relativement long rendra flou le fond. Malheureusement, cela ne suffit pas pour masquer la palissade, peu esthétique, et n'empêche pas la formation d'une zone d'ombre assez gênante, sur la partie gauche de la photographie.*

CONTRÔLER LA NATURE

1 UNE SEULE FLEUR Pour réussir à photographier un seul coquelicot, notre professeur de photographie attache précautionneusement, avec une ficelle, les autres fleurs et les écarte du coquelicot qu'il a choisi comme sujet. Il attend ensuite qu'il n'y ait plus un seul souffle de vent, afin que la fleur ne bouge pas. Puis il appuie sur le décencheur. La photographie est réussie malgré la présence d'une ombre légère sur les pétales.

2 FAIRE DISPARAÎTRE LES OMBRES Notre professeur de photographie avait apporté un grand parapluie blanc qui se révèle fort utile pour masquer le soleil et faire disparaître les ombres gênantes. Cette photographie est beaucoup moins contrastée que les précédentes et la couleur rouge-orangée des pétales est plus uniforme. Cependant, un cadrage rectangulaire n'est pas le plus approprié pour photographier juste une fleur.

Contrôler le contraste

Notre professeur de photographie prend le relais. Il se sert d'un reflex Nikon FE2 avec un zoom de 75-150 mm. "Tu n'as pas besoin d'un objectif macro, dit-il à son élève, car il est tout à fait possible de cadrer facilement et parfaitement les fleurs dans l'oculaire de l'appareil." Il a chargé son boîtier reflex avec une pellicule Fuji Velvia, "laquelle, dit-il, est idéale pour rendre toutes les nuances et l'éclat des couleurs des fleurs".

Notre professeur effectue d'abord un gros plan. Comme la fleur qu'il a choisie de photographier fait partie d'un ensemble, il attache les autres fleurs avec une ficelle afin de pouvoir les écarter et les faire sortir de son champ de prise de vue. Par ailleurs, comme le soleil est très fort, la photographie risque d'être très contrastée. Heureusement, il a apporté un grand parapluie blanc qu'il place au-dessus de la fleur de façon à ce que celle-ci soit entièrement dans l'ombre.

Photographie de groupe

Notre expert veut ensuite prendre un cliché de plusieurs fleurs. Il choisit donc un groupe de trois fleurs. Pour ne pas que la palissade apparaisse dans son champ de prise de vue, il déplie complètement les pieds de son appareil.

L'utilisation d'un trépied lui permet en outre de régler l'appareil sur une vitesse d'obturation très longue et une ouverture de diaphragme très étroite pour conserver aux fleurs toute leur netteté.

3 BOUQUET DE FLEURS Notre professeur pense qu'une photographie de plusieurs coquelicots rendra mieux qu'une image d'une seule fleur. Il règle donc son zoom sur la plus courte longueur focale possible. Puis il cadre le groupe de coquelicots qu'il veut prendre en écartant les autres fleurs. Cette opération lui permet d'obtenir une photographie bien équilibrée. Grâce au parapluie, toutes les fleurs et les feuilles peuvent être plongées dans l'ombre, mais celle-ci fait également disparaître tout contraste et donne un aspect terne aux couleurs des coquelicots.

Apprivoiser la brise

Lors de la séance de prise de vues, notre professeur de photographie et son élève doivent trouver une solution au problème posé par la brise qui, même très légère, fait bouger les fleurs et risque de les rendre floues sur les photographies. Un procédé consiste à employer des planches pour faire écran au vent, mais, pour être réellement efficace, ces planches doivent entourer complètement le massif de fleurs que l'on veut photographier.

Cette méthode est applicable si l'on dispose d'assistants pour tenir les planches exactement comme il faut, mais elle n'est pas pratique lorsque l'on est seul. Dans ce cas, il ne reste plus qu'à attendre un moment de calme entre deux souffles de brise.

4 DES COULEURS ÉCLATANTES

Notre professeur photographie ensuite le même groupe de fleurs, mais cette fois sans masquer l'ombre avec le parapluie. On constate immédiatement que le soleil donne des couleurs éclatantes aux coquelicots. On aperçoit même la texture et les dégradés de couleurs des pétales.

Compact

❑ À moins que votre appareil compact ne possède une fonction macro, vous ne pourrez pas cadrer exactement une seule fleur dans le viseur. Il faudra donc vous reculer quelque peu afin de prendre un groupe de fleurs plutôt qu'une fleur isolée. Un compact sophistiqué pourra également choisir lui-même l'ouverture du diaphragme et la bonne vitesse d'obturation pour que les fleurs photographiées apparaissent avec une grande netteté.

Réflex

❑ Un appareil photographique équipé d'un bouton de contrôle de la profondeur de champ est particulièrement utile pour photographier des fleurs. Il vous permet en effet de vous rendre compte parfaitement de la netteté de l'arrière-plan avant que vous ne pressiez sur le déclencheur.

❑ Donner une impression de flou à l'arrière-plan dépend en fait de la nature de celui-ci. Sur cette photographie, le feuillage vert légèrement estompé convient parfaitement pour faire ressortir les couleurs éclatantes des coquelicots.

QUATRIÈME PARTIE

LA PHOTOGRAPHIE NUMÉRIQUE

L'avenir nous ouvre ses portes

La technologie s'est véritablement mise au service de la photographie, pour le plus grand plaisir des photographes amateurs et des professionnels.

Si la photographie numérique et la progression de cette technique sont associées à l'avenir, l'actualité et la réalité de la pratique de l'image ornent ce futur technologique dans notre présent. La propagation de la culture informatique liée aux nombreuses utilisations de l'ordinateur (vidéo, musique, jeux, Internet...) facilite l'accès à l'univers numérique et l'essor de ce dernier. L'outil informatique et ses nombreux périphériques tels les imprimantes, les scanners ou les webcams font partie de notre quotidien.

De plus en plus accessible et loin d'être réservée à une pratique professionnelle, la photographie numérique est simple d'utilisation. La diversité des appareils numériques permet d'associer une qualité d'image aux besoins et aux budgets de chacun.

La photographie numérique est emblématique d'une technologie au service de tous. Albums de famille ou souvenirs de vacances, illustrations de documents personnels, bases de données, envoi d'images *via* le « net », habillage d'écran ou encore illustration de sites internet sont autant de possibilités offertes par l'image numérique, indissociables de l'outil informatique.

De la prise de vue à l'impression, il est aujourd'hui possible de réaliser des photos et de les partager en quelques minutes. L'informatique et la photographie numérique, ou numérisée, permettent de maîtriser la chaîne de l'image sans bouger de chez soi.

◀ ***Avant*** La photo est sous-exposée.

▶ ***Après*** La lumière a été corrigée, l'image est plus précise, les détails ressortent mieux.

◀ ***L'un des avantages majeurs de la photographie numérique est la possibilité de corriger l'image et de modifier très rapidement les moindres détails de prise de vue.***

Quelques repères

En 1980, Sony crée Mavica, le premier concept de photographie numérique. Quelques années plus tard, Canon lance ION, un appareil hybride qui enregistre les images sur de petites disquettes.
Apple sort au même moment le QuickTake 100 conçu par Kodak.
Dès lors, la technologie numérique commence à trouver un écho commercial, et la plupart des grands fabricants liés de près ou de loin à la photographie développent des produits qui ne cessent d'évoluer.

Les étapes d'une image numérique

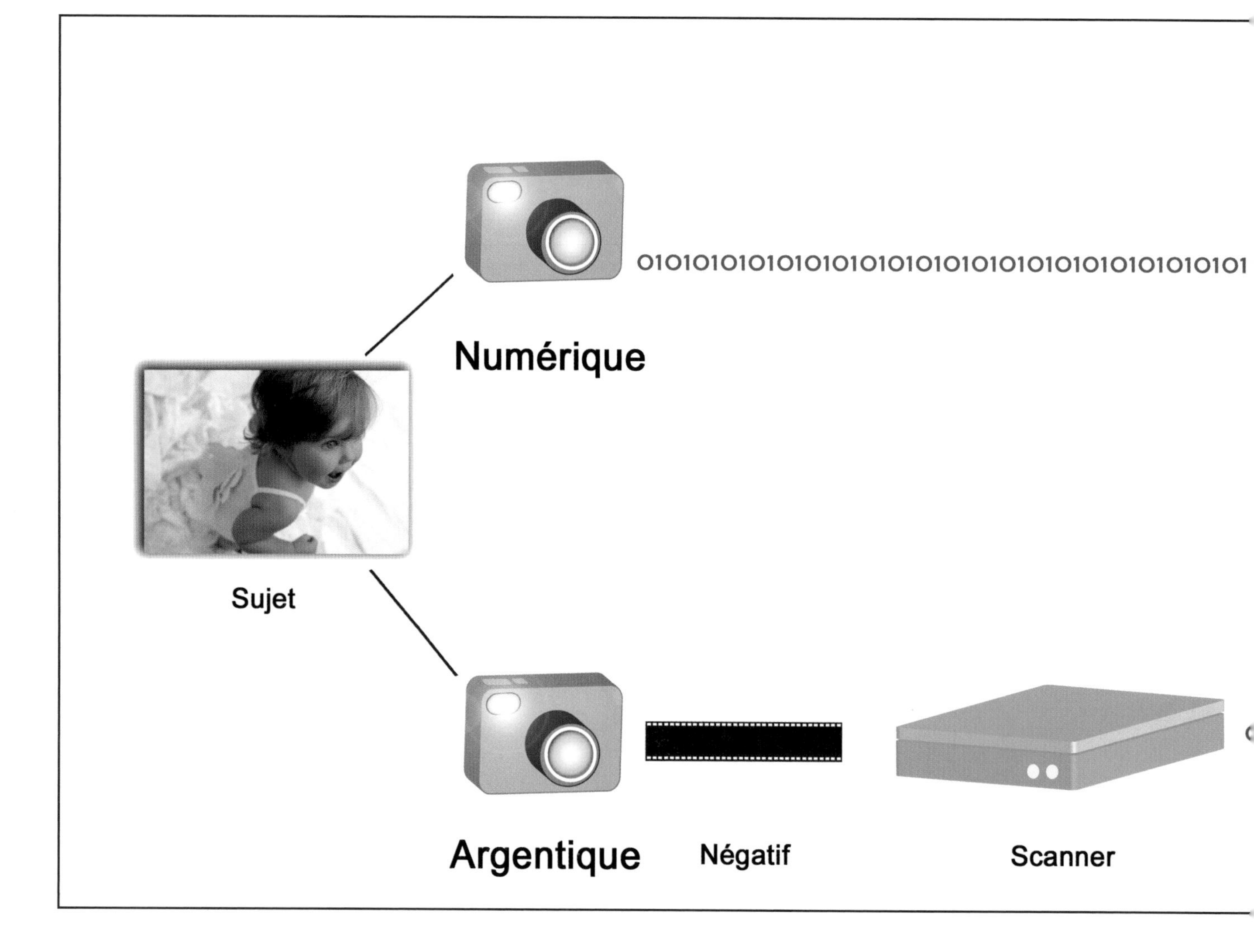

L'appareil numérique ou photoscope

Quels que soient le type d'appareil (compact/reflex) et la technique utilisés (argentique/numérique), le principe photographique reste le même. Les ondes de lumière réfléchies par l'objet photographié sont enregistrées sur une surface photosensible. Cette surface, chimique en argentique, est une émulsion contenant des grains de bromure d'argent qui fixe l'image latente sur le film négatif ou positif. En numérique, ce sont les pixels organisés sur les capteurs des appareils qui mémorisent l'information lumineuse.
Celle-ci est transformée en impulsion électrique avant d'être analysée par le logiciel du boîtier, puis enregistrée sur une carte mémoire. À ce stade de la prise de vue, en photographie numérique, l'image n'a plus qu'à être imprimée ou utilisée *via* Internet. En argentique, il faut développer le film avant de pouvoir utiliser les images. Il n'est pas possible d'établir la supériorité d'une technologie sur l'autre. Chacune de ces techniques a des caractéristiques spécifiques.
Il faut considérer l'appareil numérique et sa technologie comme une autre manière de s'adonner à la photographie.

▲ ***Grâce au numérique, faites les images qui vous ressemblent.***

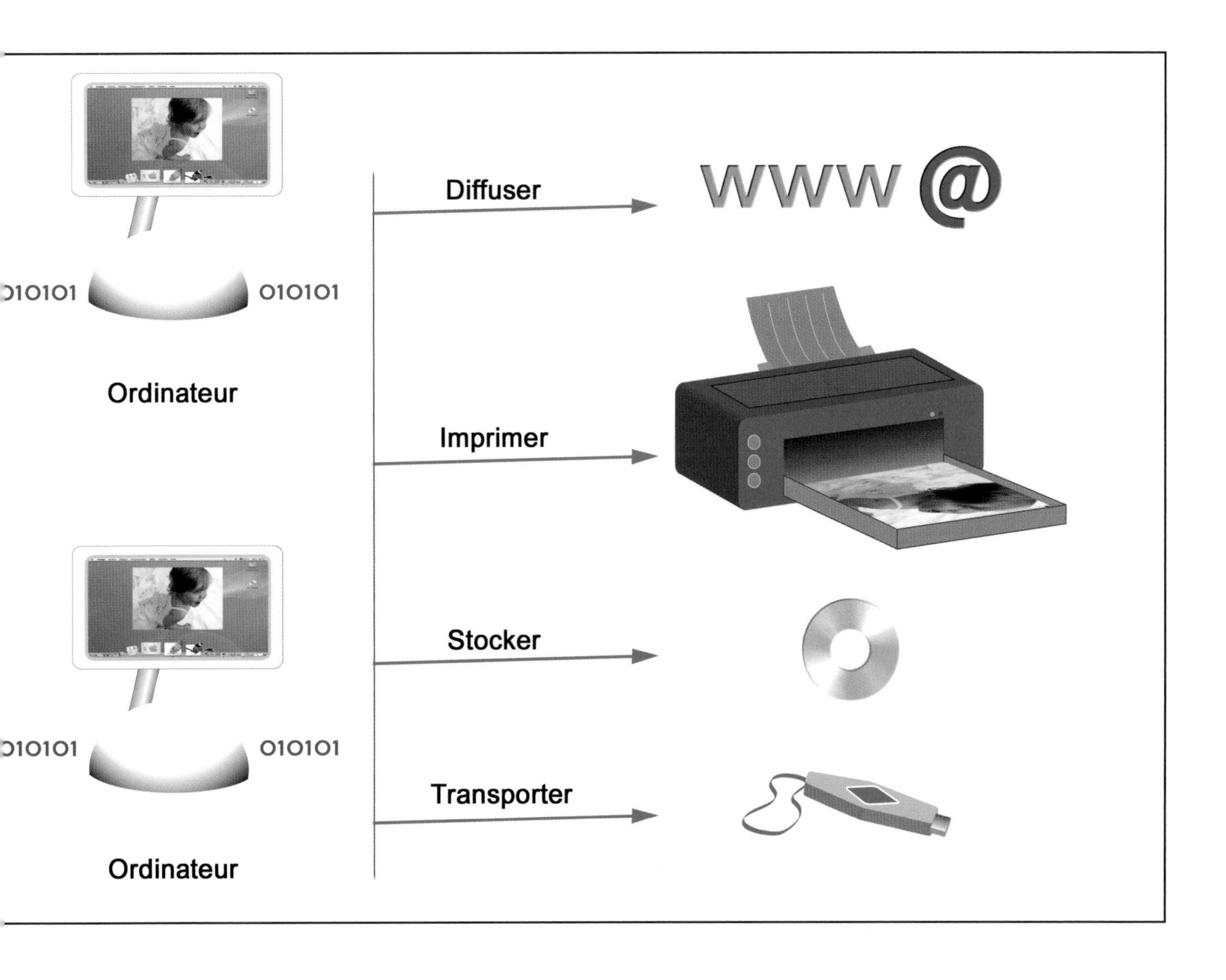

Quelles utilisations ?

La véritable différence entre numérique et argentique, au-delà des conditions mécaniques de réalisation d'images, est le gain de temps. Répondant à notre exigence de rapidité, parce que nous vivons dans un monde de vitesse, les appareils numériques permettent des prises de vue quotidiennes et directement utilisables sur Internet, dans les univers de l'édition ou de la presse.
Le transfert de données s'effectue instantanément. Dans certains domaines comme le médical, il offre un support d'archivage et de simulation d'intervention non négligeable. L'appareil numérique est aussi particulièrement utile dans les secteurs commerciaux tels que l'immobilier ou les travaux d'expertise en assurance. On imagine également aisément le gain de temps pour un photographe reporter en mission à l'autre bout du monde. Parfois, il ne s'écoule que quelques minutes entre sa prise de vue et l'insertion de l'image dans la maquette d'un journal.

Le numérique convivial

L'appareil numérique permet de fixer les moments conviviaux, et de partager des images rapidement. Toute la famille pourra ainsi se réunir devant l'écran d'ordinateur après l'ouverture des cadeaux de Noël ! Votre imagination et un peu de temps suffiront pour réaliser certains documents, comme un calendrier personnalisé. Il est bien sûr possible de concevoir de telles créations avec un appareil argentique, *via* le scanner, mais le développement en laboratoire prendra du temps et de l'argent, économisés par une solution numérique. Vous serez désormais, si vous le souhaitez, un studio autonome de partage et de création !

Compact ou reflex ?

Le choix de l'appareil dépend de l'utilisation des images et du rapport à la photographie de chacun.

Les appareils compacts sont très simples d'utilisation et offrent des résultats performants. Le zoom et le flash sont intégrés à l'appareil, ce qui permet de prendre des photos facilement et rapidement, tout comme les modes automatisés de prise de vue. La visée se fait à l'aide d'un viseur ou d'un écran à cristaux liquides (LCD). Bien que de petite taille, la plupart de ces appareils propose une grande qualité d'image. Aujourd'hui, la résolution moyenne est de 4,5 millions de pixels, permettant des tirages de formats A4 et A3 tout à fait satisfaisants.

Avoir le bon reflex

Les boîtiers reflex, aux objectifs interchangeables, sont dédiés à une utilisation plus étendue de l'appareil. Les possibilités de réglages et de mises au point manuelles, notamment, ainsi que le confort de cadrage et de visée fournissent un éventail de possibilités plus large que les versions compactes. Leur conception plus élaborée permet d'obtenir des images de meilleure qualité, la résolution de ces boîtiers allant de 6 à 16 millions de pixels pour des budgets de 1 000 à 8 000 euros. S'il n'existe plus, sur ce type d'appareil, de décalage entre le déclenchement et la réalisation de l'image, leur taille les rend cependant plus encombrants que les appareils compacts.
Il ne vous reste plus qu'à choisir en fonction de vos envies, de vos goûts, et de votre budget.

La question du matériel professionnel

Le budget nécessaire à l'acquisition d'un appareil numérique professionnel est-il justifié ?
La technologie numérique transforme des photoscopes dits « de moyenne gamme » en appareils très performants. Les différences entre boîtiers professionnels et appareils « grand public » résident dans des subtilités de prise de vue et de possibilités pour optimiser la réalisation d'images de qualité destinées à être diffusées. La qualité de l'image et la technologie des capteurs vont toujours de pair avec ce type de matériel. La taille des capteurs et de leurs pixels est ainsi plus importante sur les boîtiers haut de gamme. Les appareils *pro* permettent des réglages élaborés, donnant accès à une photographie maîtrisée. Ils sont dotés de systèmes d'autofocus très performants, autorisant une mise au point rapide et précise en de nombreux endroits du viseur. La constitution « tropicalisée » de certains boîtiers offre une résistance à l'humidité (avis aux baroudeurs !) et leur construction leur assure une solidité et une durée de vie conséquentes. La fiabilité d'exécution et de résultat caractérise le matériel d'un professionnel, qui doit avoir pleinement confiance en son équipement.

▲ ***Le matériel professionnel est plus lourd et encombrant que les autres appareils du marché.***

▲ ***Les appareils Reflex permettent l'utilisation de différents objectifs, compatibles selon la marque du boîtier.***

▲ ***De petite taille, les appareils compacts sont faciles à manipuler. La photographie devient simple et efficace.***

Nombre de pixels... comment choisir ?

Un appareil numérique de 2 ou 3 millions de pixels autorise des tirages photographiques au format 10 x 15 cm. Si un 4 millions de pixels permet des agrandissements A4, les résolutions supérieures offrent des possibilités d'agrandissements croissantes. Les 6, 7 et 8 millions de pixels permettent des agrandissements jusqu'aux formats A3 et A2. Cependant, il ne faut pas oublier qu'une prise de vue avec un appareil de 8 millions de pixels engendre un tirage 10 x 15 cm de bien meilleure qualité qu'avec un 3 millions de pixels. Tout est une question de choix, l'important est d'avoir connaissance des possibilités des différents appareils. Rien n'oblige à se plier à l'évolution du nombre de pixels, à entrer dans la spirale de progression technologique... mais qui peut le plus peut le moins. Vos envies évolueront peut-être…

Les Bridge-cameras

Ces appareils numériques hybrides associent les deux univers compact et reflex. Leur taille et fonctionnements principaux rejoignent le monde des compacts. Légers et peu encombrants, ils présentent un viseur, dont le système est identique au fonctionnement des appareils reflex, ou un écran ACL (Affichage à Cristaux Liquides – LCD en anglais). Les réglages et modalités de prise de vue des Bridge-cameras sont similaires à ceux des Reflex, mais les objectifs ne sont cependant pas interchangeables.

Les « Bridges » sont de ce fait équipés de zooms puissants permettant de photographier avec différentes focales en un même zoom (ex : 28-200 mm). Attention, la taille d'un capteur de Bridge-camera étant plus petite que celle d'un Reflex, le rendu de l'image ne sera pas identique pour ces deux types d'appareils à nombre de pixels égal.

Les cartes mémoire

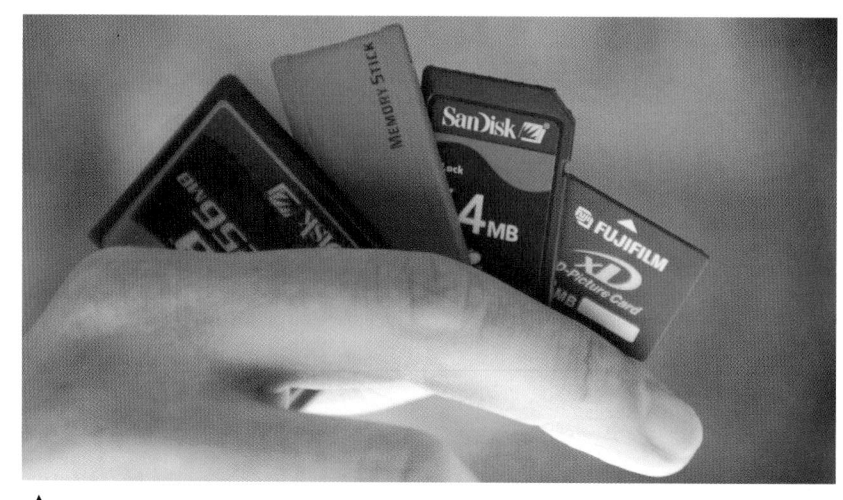

▲ *Pour la photo numérique, ayez les cartes en main.*

Si une image réalisée avec un appareil argentique s'imprime de façon définitive sur un support film, une photo numérique s'enregistre, elle, temporairement, sur une carte.

Une fois cette carte vidée sur un ordinateur, elle peut être effacée, puis réutilisée immédiatement. Il est fortement conseillé de sauvegarder les photos sur CD avant de nettoyer la carte et de la réutiliser.
L'ordinateur à lui seul ne garantit pas la sécurité des données qu'il contient. Une panne électrique ou informatique risque en effet d'effacer les éléments présents dans la mémoire de la machine.

Les familles de cartes

À l'exception des appareils photos numériques haut de gamme, chaque type d'appareil correspond à une famille de carte mémoire. Il existe différents types de cartes, aux formats et aux capacités de stockage différents. La CompactFlash est la carte la plus répandue. On la retrouve notamment dans nombre de boîtiers Reflex. Les CF sont aujourd'hui de deux types (I et II), aux épaisseurs différentes. La plupart des photoscopes fonctionnant aujourd'hui avec des cartes CF peuvent accueillir ces deux types de formats. Cette compatibilité est également très utile pour l'utilisation de la carte Microdrive. Ce mini-disque dur s'adapte sur tout appareil pourvu d'un lecteur de carte CF de type II. Il est fiable et permet une grande capacité de stockage, son utilisation est de même ordre que les CompactFlash.

Caractéristiques

La vitesse d'écriture et de lecture sont les principales caractéristiques qui différencient les modèles de cartes. Plus l'écriture est rapide, moins le laps de temps entre deux photos est important. Une carte rapide permet par exemple de photographier en rafale, pour les appareils qui offrent ce mode. En revanche, une carte lente oblige le photographe à attendre que sa photo soit enregistrée sur la carte avant de pouvoir photographier à nouveau. Cette rapidité d'exécution est également liée à la mémoire du boîtier qui accueille les images prises en attendant qu'elles soient enregistrées sur la carte.

La miniaturisation

Les progrès des nanotechnologies sont perceptibles au quotidien dans notre environnement. Tous les éléments électroniques deviennent de

Photo numérique : c'est dans la poche !

Si la photo numérique entre de plus en plus rapidement et facilement dans notre quotidien, elle le doit notamment à la présence de l'informatique dans nos foyers. Sur ce même principe de tremplin d'une technologie pour une autre, la téléphonie va accélérer le processus de démocratisation de la photo numérique.
De nos jours, rares sont ceux qui ne possèdent pas de téléphone portable. Équiper ces téléphones d'une capacité à photographier revient à pourvoir une grande partie de la population en appareils numériques. L'association de ces deux technologies va non seulement permettre de rendre la prise de vue plus mobile, mais elle va également permettre aux jeunes consommateurs, dont les budgets et les motivations d'achat ne s'orientent pas vers les photoscopes, de posséder, au fond de leur poche, un véritable appareil photo, avec son capteur et son lecteur de carte mémoire, capable de réaliser des images de bonne qualité.

plus en plus petits et performants, les cartes mémoire ont aussi bénéficié de cette évolution. Ainsi les SD cards et xD cards, bien que de très petite taille, sont aujourd'hui dotées de grandes capacités de stockage. Les versions de ces cartes varient de 32 Mo à 2 Go selon les modèles. De même, les cartes présentes dans les nouvelles générations de téléphones portables atteignent de grandes possibilités de stockage. On trouve notamment dans cette gamme de cartes la Mini SD, la RS-MMC ou la Transflash, capables de contenir jusqu'à 256 Mo. La téléphonie participe ainsi à la démocratisation de la photo numérique.

Les différences de contact

Le développement des SD et xD cards est grandissant. La puce électronique qui crée le contact avec les appareils qui donnent à ces familles de cartes un avantage sur les CompactFlash ou les Memory Stick (cartes essentiellement utilisées par les appareils Sony). Pour ces dernières en effet, le contact avec les appareils (ou les lecteurs de cartes) se fait par le biais de petites broches appelées « pinaches ». La répétition des branchements et débranchements est alors susceptible d'accélérer l'usure et la détérioration des pinaches, pouvant nécessiter le remplacement coûteux du lecteur en question. Les derniers boîtiers reflex professionnels de Canon ou Nikon, par exemple, permettent d'ailleurs un stockage sur les CompactFlash type I et II, ainsi que sur des SD cards ou des Microdrive.
Si vous tenez à préserver les fragiles broches de vos boîtiers et lecteurs, équipez-vous d'une carte de très grande capacité de stockage (4 ou 8 Go) et laissez-la dans votre appareil. Utilisez alors un câble de transfert relié à votre ordinateur pour vider les images sans avoir besoin de manipuler votre carte. Cela étant, le prix des cartes de cette capacité de stockage rend cette solution peu abordable.

Les contacts de cartes mémoire

◀ *Les pinaches des différents lecteurs de cartes s'enclenchent dans les rangées de petits trous de la CompactFlash.*

▲ *La puce de la xD card crée le contact avec les lecteurs, sans risque de casser des broches.*

L'ordinateur

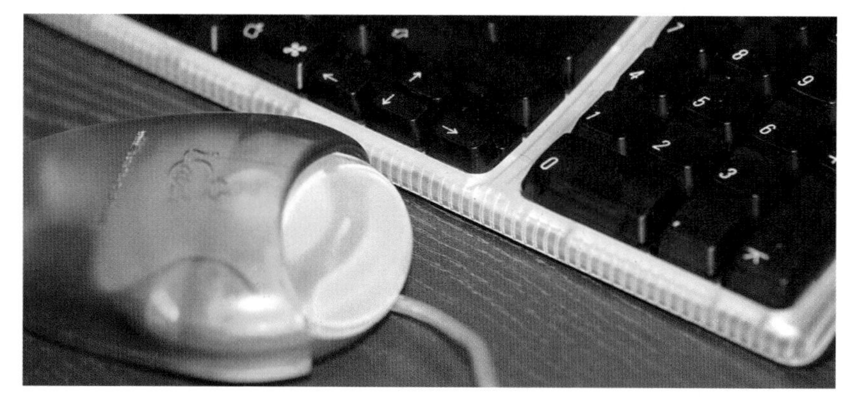

Il est l'outil indispensable de la technologie numérique. Les données photographiques transitent dans l'ordinateur pour y être traitées et exister. L'ordinateur donne au photographe la capacité de retravailler une image, d'améliorer le rendu des couleurs ou de la luminosité, mais il permet également de décider du devenir d'une image. La gravure, l'envoi *via* Internet, l'impression, le montage de photos dans des documents grâce à divers logiciels..., toute opération est possible une fois que la carte mémoire est vidée sur l'ordinateur. Ce dernier est le maître d'œuvre sur le chantier de construction de la vie des photos.

Mac ou PC ?

La question du matériel informatique ne doit pas constituer un trop grand dilemme. Elle dépend de vos goûts et de votre budget, l'important étant de posséder un bon processeur, ainsi qu'une bonne mémoire vive (RAM) afin de retravailler des images (dont le poids moyen augmente chaque année proportionnellement au progrès technologique) sans être gêné par une lenteur d'exécution. Ce type de mémoire peut être ajouté après l'achat, si besoin est.

Les portables

N'hésitez pas à choisir un ordinateur portable si vous êtes souvent en déplacement, la puissance et la performance de ces machines étant aujourd'hui égale à celles des ordinateurs de bureau. Les portables sont pourvus de graveurs de CD et DVD permettant le stockage immédiat des images prises en déplacement. Ils facilitent le partage des images, notamment grâce au système de diaporama.

L'ordinateur est-il indispensable ?

L'utilisation d'Internet, le coût désormais abordable des imprimantes et le travail de traitement de l'image associés au matériel informatique font de l'ordinateur un outil indissociable de l'appareil numérique. Cependant, il n'est pas indispensable car les laboratoires photo peuvent réaliser des tirages dont les images proviennent directement des cartes mémoires. Des imprimantes autonomes dotées de lecteurs de cartes mémoire permettent également de réaliser des tirages sans passer par l'ordinateur.

Le transport d'images

Les clés USB permettent de stocker des images utilisables sur tous les ordinateurs. De la taille d'un bouchon de stylo-plume, cette mémoire transportable permet de posséder en permanence sur soi, d'échanger, de récupérer ou de transmettre des images. Chacun peut utiliser ces clés de la manière dont il l'entend et ne leur attribuer, par exemple, qu'une fonction de transport. On peut, dès lors, avoir un album de famille ou un book photo calé dans sa poche ou accroché à son trousseau de clés. Certains photographes utilisent également les cartes mémoires comme un espace de stockage ambulant.

Périphériques : la compatibilité Mac/PC

Si les deux univers de Mac et de PC étaient presque hermétiques l'un à l'autre, la compatibilité des périphériques est aujourd'hui assurée. L'élément qui a permis la construction de ce pont entre les deux types de conceptions d'ordinateur est l'interface USB. Conçu au milieu des années 90, le port USB équipe aujourd'hui la totalité des ordinateurs Mac et PC de récente génération. L'utilisation de ports en parallèle, propre au fonctionnement PC, s'éloigne progressivement. Ainsi tout périphérique peut être connecté sur ces deux familles de machines dès lors qu'elles sont pourvues de l'interface USB. Le système USB, rendant universel la connexion des périphériques, permet des branchements et débranchements « à chaud ». Les imprimantes, les scanners, les Webcams, les disc durs externes ou encore les souris, peuvent être installés sans que l'ordinateur n'ai besoin d'être éteint et de démarrer avec les périphériques en place.

▶ *Port USB.*

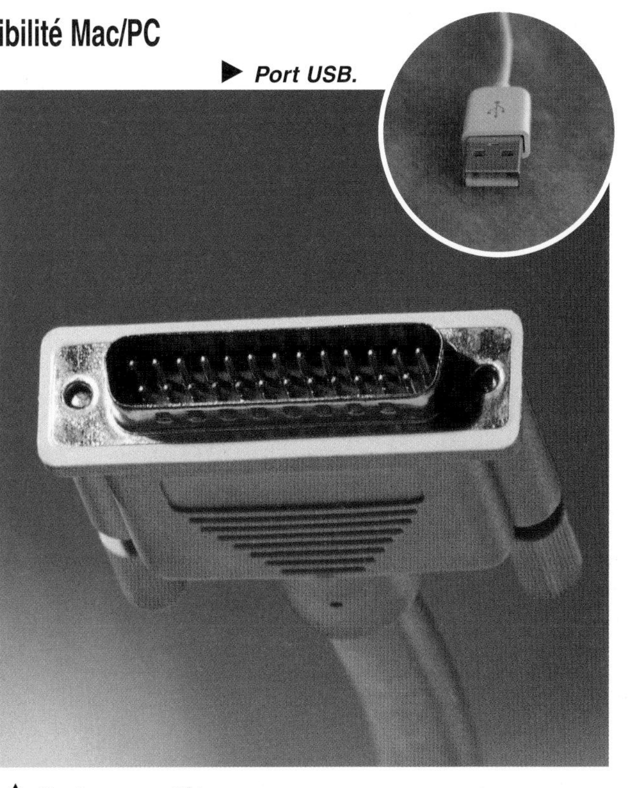

▲ *Port en parallèle.*

Libérer de la mémoire RAM

Un ordinateur, PC ou Mac, contient une quantité définie de mémoire RAM (*Random Access Memory*). À l'inverse du disque dur, la mémoire sert à stocker des informations que l'on qualifie de volatiles. En d'autres termes, lorsque l'on éteint son ordinateur, cette zone de stockage est vidée de son contenu. Son rôle est cependant essentiel pour le traitement des images puisque c'est au sein de la RAM que sont hébergés les modules du système d'exploitation et de l'éditeur graphique.
Ainsi, plus la quantité de RAM est importante, plus confortable sera votre utilisation de l'ordinateur. Pour augmenter la mémoire RAM, il suffit d'acheter et d'installer des barrettes de mémoire.

Les résolutions d'écran

Quelle que soit la taille de votre écran, vous pouvez configurer différents types de résolution. Les plus courantes sont : 800 x 600 pixels et 1 024 x 768 pixels. Si vous êtes configuré en 800 x 600 pixels, cela signifie que votre écran compte 800 pixels de large sur une hauteur de 600 pixels.
De nos jours, la plupart des moniteurs ont une résolution de 1 024 x 768. Une résolution en 1 024 x 768 implique une plus grande finesse des différents éléments présents sur l'écran, comme les icônes qui apparaissent dans une taille réduite. Attention, selon la génération de votre matériel informatique, le moniteur ne permettra pas forcément la résolution 1 024 x 768. Si votre écran est de petite taille, par exemple 12 pouces, il est fortement recommandé de se mettre en 1 024 pour une meilleure visibilité.

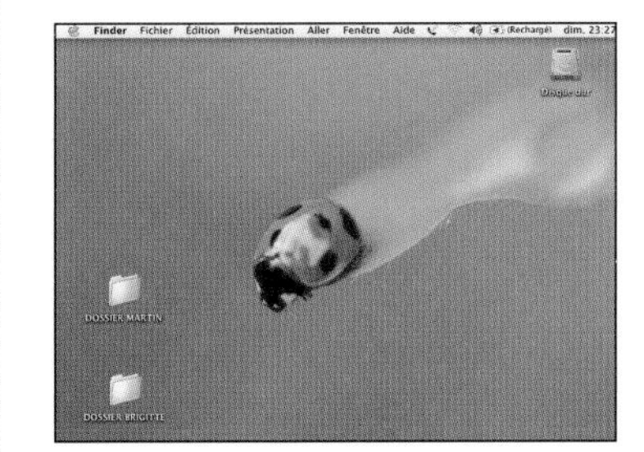

▲ *Résolution en 800 x 600 pixels.*

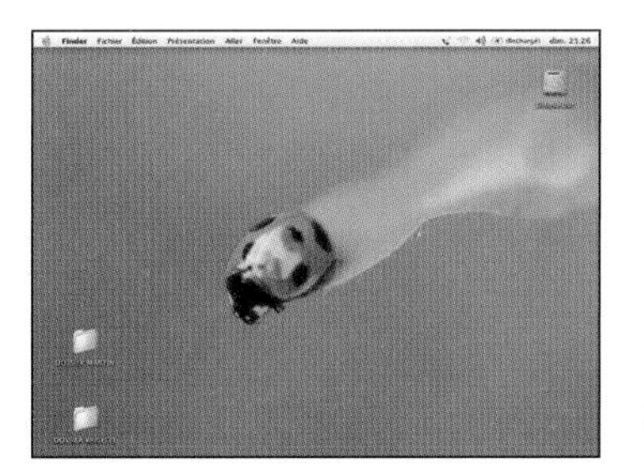

▲ *Résolution en 1 024 x 768 pixels.*

Les scanners

Le scanner permet l'association des techniques photographiques argentiques et numériques.

▲ *Les scanners à film numérisent également les diapositives.*

La technologie numérique n'est pas uniquement liée aux appareils photographiques. Elle correspond, en réalité, à la numérisation d'informations, c'est-à-dire la transformation de données analogiques en langage informatique binaire. Ainsi peut-on numériser une image ou un film argentique par le biais de scanners. Une fois numérisée, l'image peut être travaillée sur des logiciels de retouches, puis continuer d'exister de la même manière qu'une image numérique « de naissance », selon les possibilités offertes par l'ordinateur et ses périphériques.
Il existe des scanners conçus pour numériser des films négatifs ou positifs, et d'autres capables de scanner des tirages photographiques. Ceux-ci permettent de numériser, selon votre imagination et votre créativité, les dessins, peintures et autres créations personnelles suffisamment fins pour être scannés de la sorte. Ces appareils sont dits « scanners à plat ».
Des adaptateurs permettent aujourd'hui à cette famille de « scan » d'accueillir des films de différents formats et ce, pour un résultat identique à celui offert par un scanner dont c'est la spécialité.
Les scanners permettent de pratiquer les joies de la photographie argentique, tout en faisant bénéficier son auteur des possibilités de stockage, de diffusion ou de transport de la numérisation.

L'acquisition numérique par scanner

Les scanners permettent de numériser des éléments, d'une manière différente de la prise de vue numérique. Un capteur se déplace et numérise le négatif ou le visuel opaque (par réflexion). Il est ainsi possible de traiter l'image numérisée sur un poste informatique.
La numérisation de négatifs ou de diapositives est très précise grâce au scanner à film. Cependant, les progrès technologiques de numérisation des scanners à plat permettent d'obtenir une qualité d'image quasi identique dans ce domaine. Étant capable de numériser des tirages photographiques, des dessins, des objets et tout autre élément dont le poids et la taille permettent d'être posés sur la vitre du scan à plat, cet appareil devient un très bon investissement.
Sa polyvalence et la qualité de sa numérisation lui donnent un avantage sur le scanner à film, d'autant qu'il accepte différents formats de négatifs comme le 6 x 6. Il existe des scanners à film très performants accueillant différents formats de négatifs dont les moyens formats ; mais leur prix est plus élevé, vous le constaterez vous-même dans votre magasin.

Choix d'un scanner

Si vous désirez faire l'acquisition d'un scanner, focalisez votre attention sur deux critères principaux de qualité d'image : la résolution et la densité maximale (appelée DMax) qui représente la capacité du scanner à récolter des informations, et donc des détails, dans les zones sombres.

Une étape du progrès

Le développement de l'utilisation des scanners constitue une grande étape dans l'expansion de la photographie numérique.
Dans un premier temps, les scanners ont permis de réduire le budget des photographes professionnels.

Ils évitent ainsi les dépenses en tirage puisque seuls les films suffisent.
Un reportage peut, de ce fait, être livré sur CD. Les scanners ont également permis aux amoureux de l'image de se familiariser avec l'outil informatique, aujourd'hui quasi indispensable en photographie numérique. Cet échauffement constituait une préparation à la technologie numérique dans laquelle nous baignons désormais. Cependant, le temps de scan ainsi que le traitement et le stockage des images augmentent la charge de travail, réduite en contrepartie par la prise de vue numérique.

L'importance de la résolution de numérisation

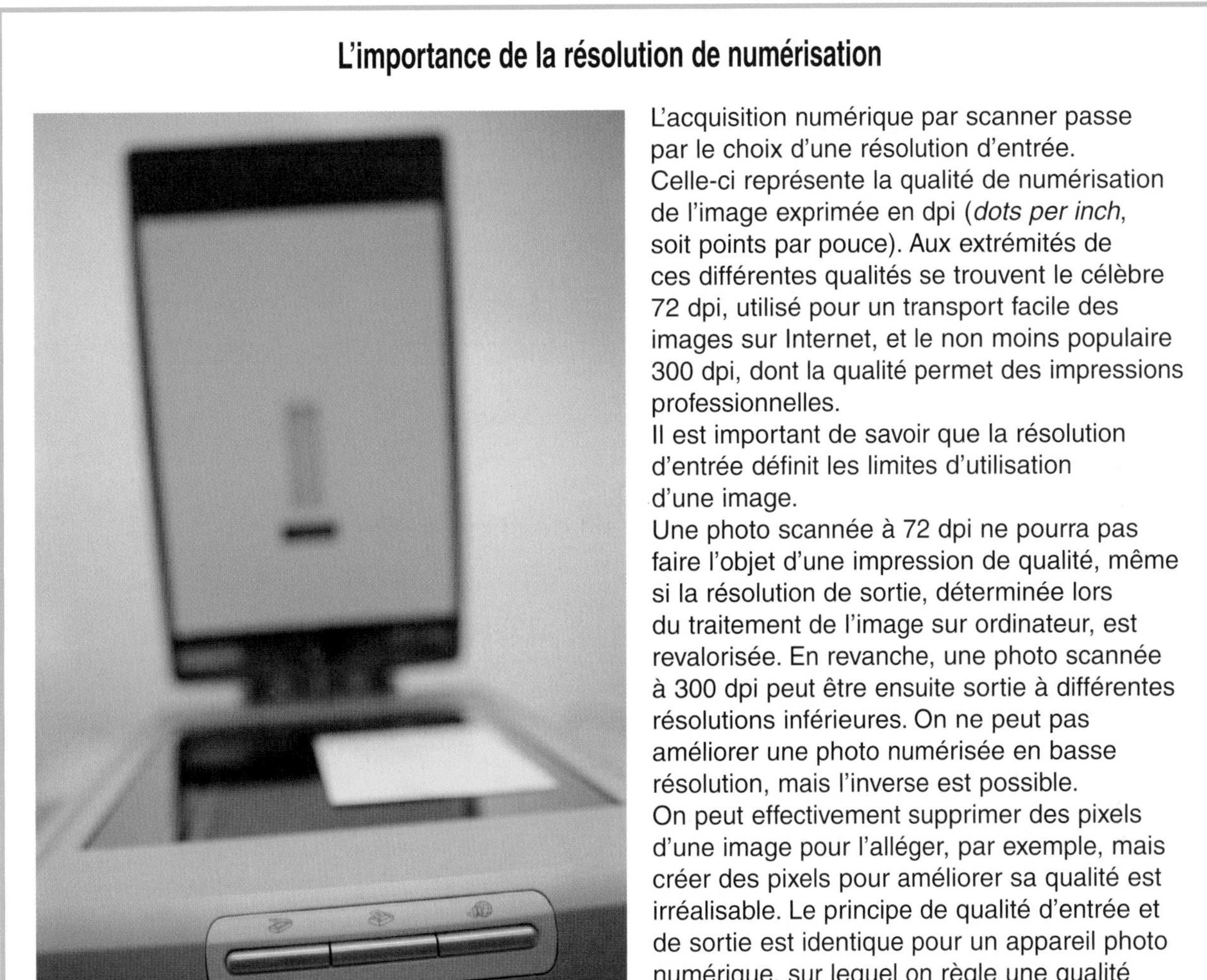

▲ ***Scanner dit « à plat ».***

L'acquisition numérique par scanner passe par le choix d'une résolution d'entrée.
Celle-ci représente la qualité de numérisation de l'image exprimée en dpi (*dots per inch*, soit points par pouce). Aux extrémités de ces différentes qualités se trouvent le célèbre 72 dpi, utilisé pour un transport facile des images sur Internet, et le non moins populaire 300 dpi, dont la qualité permet des impressions professionnelles.
Il est important de savoir que la résolution d'entrée définit les limites d'utilisation d'une image.
Une photo scannée à 72 dpi ne pourra pas faire l'objet d'une impression de qualité, même si la résolution de sortie, déterminée lors du traitement de l'image sur ordinateur, est revalorisée. En revanche, une photo scannée à 300 dpi peut être ensuite sortie à différentes résolutions inférieures. On ne peut pas améliorer une photo numérisée en basse résolution, mais l'inverse est possible.
On peut effectivement supprimer des pixels d'une image pour l'alléger, par exemple, mais créer des pixels pour améliorer sa qualité est irréalisable. Le principe de qualité d'entrée et de sortie est identique pour un appareil photo numérique, sur lequel on règle une qualité d'enregistrement de l'image, qui détermine le potentiel de l'image exploité par la suite.

Quelles résolutions choisir ?

La résolution d'acquisition que vous allez choisir dépend de l'utilisation finale du document.
Les résolutions les plus utilisées sont : 72 dpi, 150 dpi ou 300 dpi.

Choisissez 72 dpi si votre image doit être utilisée sur écran.

Choisissez 150 dpi si votre image doit être imprimée chez vous.

Choisissez 300 dpi si vous souhaitez faire imprimer l'image par un professionnel.

Ce choix peut varier aussi si vous désirez agrandir une image. Dans ce cas, optez pour une résolution de scan maximale. Inversement, si vous scannez une image 18 x 24 cm pour l'imprimer ensuite en 10 x 15, vous pouvez la numériser à 120 dpi, cela sera suffisant.

Les imprimantes

Dernier périphérique de la chaîne numérique, l'imprimante permet de réaliser ses propres tirages.

▲ *Emportez vos imprimantes où vous voudrez.*

À tous les stades de la chaîne de l'image, chacun des éléments a son importance. Le choix doit essentiellement être motivé par les intentions d'utilisation. Il est cependant conseillé d'acquérir, si le budget le permet, des périphériques dont les possibilités sont supérieures à celles de l'intention d'usage. Lorsque l'on se familiarise avec son matériel, et notamment son imprimante, nos objectifs de qualité d'image peuvent grandir. Ainsi est-il préférable de garder une marge de manœuvre concernant le potentiel du matériel, même si l'on n'a pas encore totalement conscience de ses besoins photographiques. On aura ainsi ultérieurement le choix d'exploiter certaines de ces possibilités.

Les imprimantes jets d'encre

Il existe différents types d'imprimantes. Les imprimantes « jets d'encre » fonctionnent selon un principe de projection de minuscules gouttes d'encre et nécessitent l'utilisation de cartouches interchangeables séparées. Certaines imprimantes utilisent des cartouches dont les couleurs cyan, magenta, jaune et noire sont stockées dans une cartouche commune.
L'inconvénient réside dans l'usure de l'encre. Si une couleur vient à manquer, le changement de la cartouche s'impose, même si les autres couleurs sont toujours utilisables.
La qualité de ces imprimantes varie en fonction des modèles, allant d'un rendu de basse qualité à une très bonne impression.

Les imprimantes laser

Excepté les modèles professionnels haut de gamme, les imprimantes « laser » n'ont pas un rendu de l'image optimal. La rapidité d'exécution est bonne, mais leur utilisation est surtout idéale pour l'impression de textes.
Certaines imprimantes fonctionnent sur un principe de transformation de pigments solides en gaz par l'action d'une chaleur.

L'importance du papier

Outre le choix d'une imprimante, celui du papier est également crucial dans le résultat final de l'image. Mates, brillant, couché : chaque utilisateur peut choisir l'esthétisme du support de son image. Des papiers de « qualité photo » permettent une plus grande longévité des images et un meilleur rendu des nuances de couleurs et de luminosité. Sachez que si l'utilisation d'un papier ordinaire engendre un résultat moyen, sa texture plus absorbante (comparé au papier « qualité photo ») provoque également une consommation d'encre plus importante.

L'image obtenue grâce à ce principe est d'une grande qualité et l'on peut comparer les impressions réalisées avec ce système de « sublimation thermique » aux tirages photographiques.
Si le matériel portable, dit « nomade », est de plus en plus développé et accessible, son évolution concerne aussi les imprimantes. Certaines peuvent ainsi être utilisées sans ordinateur, possédant des lecteurs de cartes mémoires incorporés et une intelligence suffisante pour imprimer des images immédiatement après la prise de vue. La technologie numérique semble aller de pair avec la mobilité, sans que cette dernière ne soit un caractère indispensable.
Les imprimantes « nomades » de qualité photo sont dotées de consommables en kit. Les encres et papiers sont livrés dans un même pack dont les éléments sont destinés à être utilisés proportionnellement ensemble au fur et à mesure de leur consommation. Ainsi, une fois la totalité des feuilles de papier utilisées, les cartouches d'encre doivent être vides et inversement. Cela peut éviter certaines surprises !

◄ ***Les imprimantes de type « Canon Shelpy CP 500 » fonctionnent avec des kits consommables.***

Pour quelles raisons imprimer ?

La révolution de la technologie numérique démocratise la pratique de la photographie. La production photographique n'a jamais été aussi importante que ces deux dernières années. Réaliser ses photos est devenu plus simple et la présence du matériel informatique dans les foyers permet à tous de visionner et de stocker les images. Cependant, la quantité d'images pose rapidement un problème, car nous aimons regarder des photos sur papier. Même si les images sont présentes sur nos ordinateurs, elles se noient rapidement dans la masse de photos stockée. Ne pas les imprimer peut nous amener à les oublier. Le tirage papier conserve donc une grande importance, d'autant que le travail des laboratoires garantit la même durée de vie à une photo numérique qu'à une photo argentique. Pouvoir encadrer ses souvenirs et créations photographiques reste un plaisir toujours d'actualité. Ces tirages papiers peuvent être réalisés aujourd'hui à domicile grâce aux imprimantes, dont le résultat est tout à fait convenable si on prend la peine d'associer un papier de qualité photo à une imprimante et des encres adaptées. De plus, en photo numérique, sans électricité, il n'y aura pas de photos alors que le papier est un support concret et durable.

L'acquisition de l'image numérique

Tout comme en photographie argentique, la technologie numérique enregistre l'information lumineuse sur une surface photosensible, le capteur. Dans cet univers, l'électronique remplace le chimique.

▲ ***Derrière l'obturateur des appareils numériques se trouve le capteur photosensible.***

Le capteur, « pellicule » du numérique

La technologie numérique permet de transformer des informations analogiques en données informatiques. Une photographie est dite analogique car elle représente le réel tel qu'il est, tel que nous l'appréhendons. Les formes, les couleurs, les lumières imprimées sur un film négatif représentent, proportionnellement, celles capturées lors de la prise de vue d'une situation. Le message numérique est, lui, une création complète.
L'image numérique qui nous parvient, après avoir photographié une scène ou un objet, est une représentation codée d'un message électrique enregistré par le capteur. Les capteurs photosensibles qui enregistrent l'information lumineuse dans les appareils numériques sont des grilles de cellules. Ils font office de pellicule sur un boîtier argentique et réagissent au signal lumineux en fonction des filtres de couleurs (rouge, vert, bleu) qui les recouvrent. De la même manière que la surface sensible d'une pellicule, le capteur enregistrent les informations lumineuses de la scène photographiée. Chaque pixel du capteur agit comme un relayeur et traducteur de la lumière qu'il perçoit.
L'information est envoyée sous forme de message électrique vers le logiciel de l'appareil qui code l'information lumineuse en message numérique, c'est-à-dire la photo numérique. C'est ce message qui est enregistré sur la carte mémoire.
Il existe deux types de capteurs, les CCD et les CMOS. Le principe de fonctionnement est identique pour ces deux technologies. La différence réside dans l'action de ramassage des informations avant que celles-ci ne soient enregistrées. Sur un capteur CCD (*Charged Couple Device*, soit « dispositif à charge couplée »), la collecte des informations se réalise selon un sens de lecture qui ne permet pas à une cellule de transmettre ses informations lumineuses tant que sa voisine n'a pas envoyé les siennes. Ainsi faut-il attendre que toutes les cellules aient adressé leur message au logiciel de l'appareil afin d'enregistrer la totalité des éléments de l'image et de pouvoir prendre une autre photo.
Les cellules des capteurs CMOS possèdent, elles, leur propre système de transmission de l'information, ce qui permet de récolter simultanément la totalité des informations de chaque cellule.

Les formats RAW et JPEG

Lorsque vous prenez une photo avec un appareil numérique, vous devez choisir une qualité d'enregistrement. La plupart des appareils offrent différentes possibilités d'enregistrement au format JPEG. Basse, moyenne, ou haute (fine), tels sont vos choix de résolutions d'entrée.
Le format JPEG est très pratique car il permet d'enregistrer les images dans de bonnes conditions tout en les compressant pour qu'elles soient plus faciles à enregistrer, à traiter ou à transporter.
Le format RAW est un format brut. Contrairement au JPEG, une image RAW ne subit pas de traitement, ce qui la rend plus lourde. Elle occupe de ce fait une plus grande place sur la carte mémoire. De meilleure qualité, une image enregistrée au format RAW tolère mieux l'agrandissement et le recadrage qu'une photo JPEG, diminuée par la compression.

Certains appareils permettent l'enregistrement d'une image sous ces deux formats simultanément. On obtient alors une même image sous deux qualités différentes. Dans cette configuration, il est possible de choisir une qualité JPEG associée au format RAW. Veillez à votre espace de stockage, car si votre carte ne possède pas une grande capacité, les photos enregistrées au format RAW la rempliront rapidement.

▼ ***Attention : lorsque vous insérez votre carte, faites le dans le sens indiqué par votre appareil photo.***

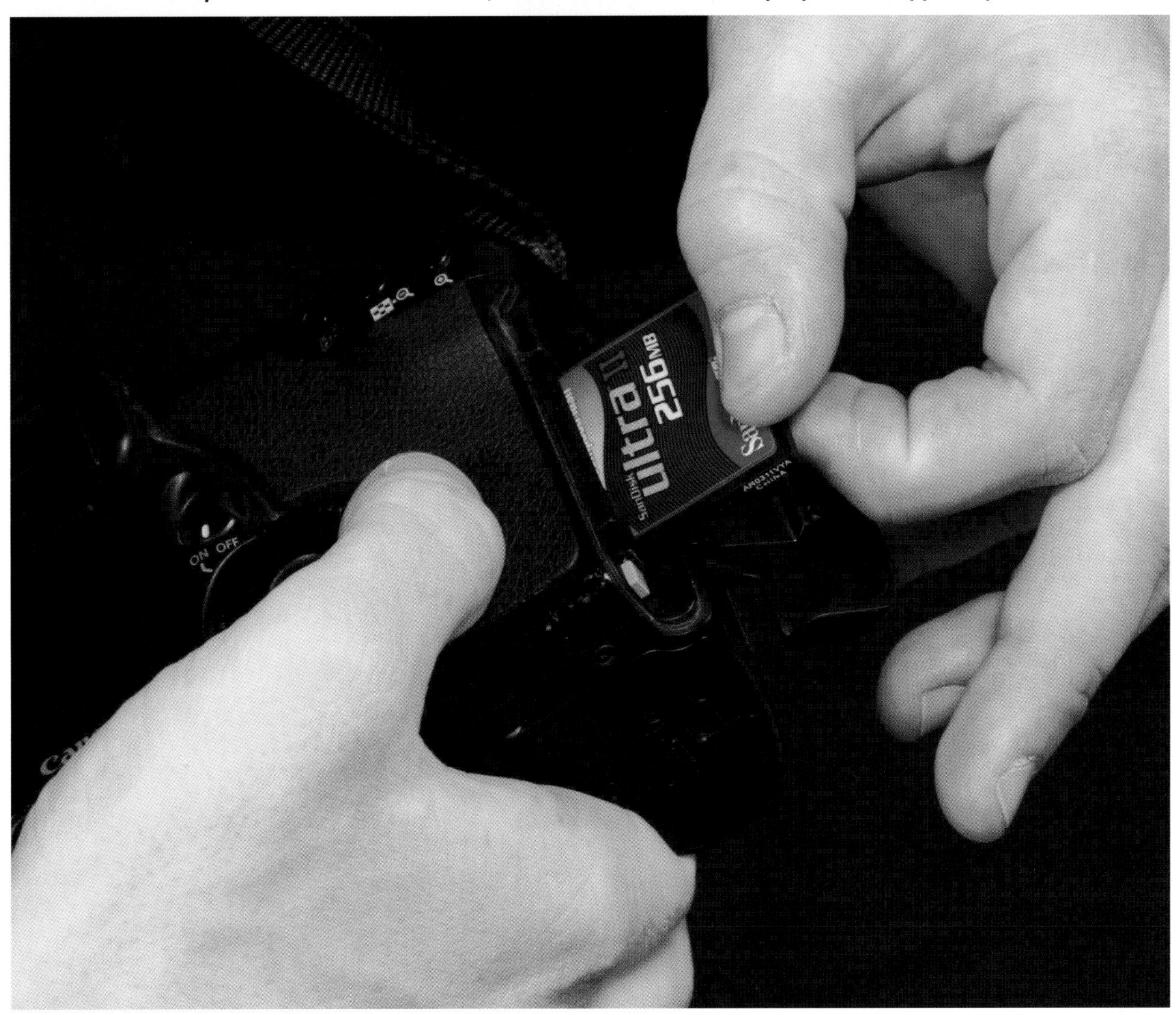

La résolution

La résolution est une notion fondamentale de la photographie numérique. Elle conditionne la qualité et le format d'impression d'une image. Lorsque l'on parle de résolution d'un appareil numérique, on fait allusion à la résolution de son capteur, c'est-à-dire la capacité de celui-ci à exprimer les détails d'une scène photographiée. Cette résolution est exprimée en nombre de pixels, garants de la qualité d'une image. Plus le nombre de pixels est grand, meilleure sera la qualité d'une image. Ainsi, un appareil dont le capteur possède 5 millions de pixels offre une meilleure qualité d'image qu'un photoscope qui en compte 3 millions. Il faut cependant savoir que la taille du capteur et, par conséquent, celle des pixels peut être différente selon les appareils. Ces différentes dimensions ont une conséquence sur la résolution, et peuvent contredire notre précédente constatation concernant le nombre de pixels et leur incidence sur la qualité de l'image. À nombre de pixels égal, deux appareils dont les capteurs sont de tailles différentes ne produisent pas une qualité d'image identique.
Un grand capteur peut en effet contenir des pixels de plus grande taille. De ce fait, ils ont chacun une capacité d'enregistrement d'information lumineuse plus importante. Cette différence de qualité est immédiate lorsqu'il s'agit de recadrer une image ou de l'agrandir. Travailler avec une lumière réduite met également en évidence cette différence de qualité. Celle-ci se traduit par l'apparition de grains ou d'une texture indésirable sur l'image. On qualifie ces exemples de perte de qualité de l'image de « bruits ». Il est également utile de savoir que l'importance de la résolution d'une image joue sur le poids du fichier photo.
Pour reprendre notre exemple, un capteur de 5 millions de pixels engendre des images plus lourdes qu'un appareil à 3 millions de pixels, car les informations lumineuses enregistrées sont multipliées.

La compression

La compression permet d'alléger des fichiers images et donc, de faciliter leur circulation et leur stockage. Certaines compressions de fichier ne provoquent pas de perte de qualité, elles sont dites « transparentes », tel l'enregistrement des fichiers en « TIFF ». D'autres comme le format JPEG, provoque ntune perte de qualité qui peut ne pas être perceptible si l'enregistrement se fait en qualité maximale. Ce format est le plus fréquemment utilisé en photographie.

Exemples de résolutions

Image destinée à un transfert sur Internet 72 à 96 dpi.

Image tirée sur une imprimante à jets d'encre 140 à 240 dpi.

Image destinée à l'impression professionnelle 260 à 340 dpi.

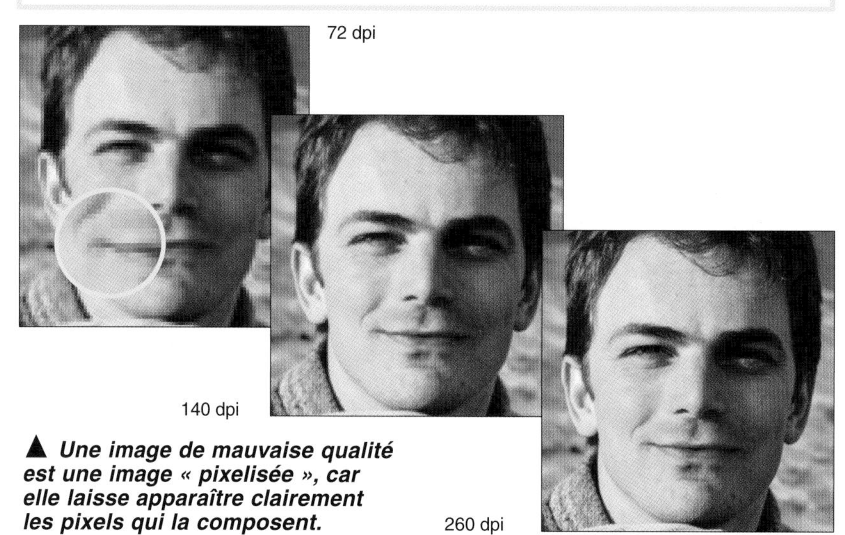

▲ ***Une image de mauvaise qualité est une image « pixelisée », car elle laisse apparaître clairement les pixels qui la composent.***

RVB/CMJN

▲ **Image en mode RVB**

Une image en couleurs est composée de points définis par trois nombres qui correspondent aux valeurs de Rouge (R), de Vert (V), et de Bleu (B). Ces couleurs primaires servent à la synthèse des couleurs par mélange de lumières. Le RVB est un modèle de couleurs primaires additives. Il se distingue donc du modèle des couleurs primaires soustractives utilisé pour le mélange des pigments basiques en impression : Cyan, Magenta et Jaune. C'est donc en mélangeant des composants de lumières rouges, vertes et bleues que l'on obtient n'importe quelle couleur. La différence de modèle employé entre la prise de vue (RVB) et l'impression (CMJ + Noir) explique les écarts parfois importants entre la photo telle qu'elle apparaît à l'écran et celle qui est couchée sur papier, d'où l'importance du calibrage des couleurs. Il s'agit en effet du réglage des équivalences de couleurs entre les périphériques d'entrée (appareils photos, scanners...) et les périphériques de sortie (imprimante).

▲ **Image en mode CMJN**

Ainsi, lorsque vous prenez une photo, l'image enregistrée est compressée. Son poids peut être divisé par 4 sans perte perceptible de qualité. Vous remarquerez d'ailleurs qu'une image prise et enregistrée en format JPEG possède un poids différent lorsqu'elle est ouverte pour être visionnée, ou fermée sous forme de dossier afin d'être rangée. Comment un tel « régime » est-il possible ? Grâce à un codage simplifié de certaines informations lumineuses.

Résolutions d'entrée et de sortie

La résolution connaît deux principes. Le premier concerne le réglage à effectuer lors de l'acquisition d'une image avec un appareil photo ou un scanner. C'est la résolution d'entrée. Ainsi, votre appareil vous propose différentes qualités d'image avant la prise de vue correspondant à différentes résolutions. Il vous faut alors décider de l'utilisation que vous ferez de votre photo, car la place occupée par les images sur la carte mémoire varie en fonction de la résolution choisie.

La résolution de sortie est propre à l'image que vous utilisez. En fonction du travail de retouche ou de sa dimension, vous obtenez une image dont la résolution est exprimée en dpi (*Dots Per Inch,* ou points par pouce).

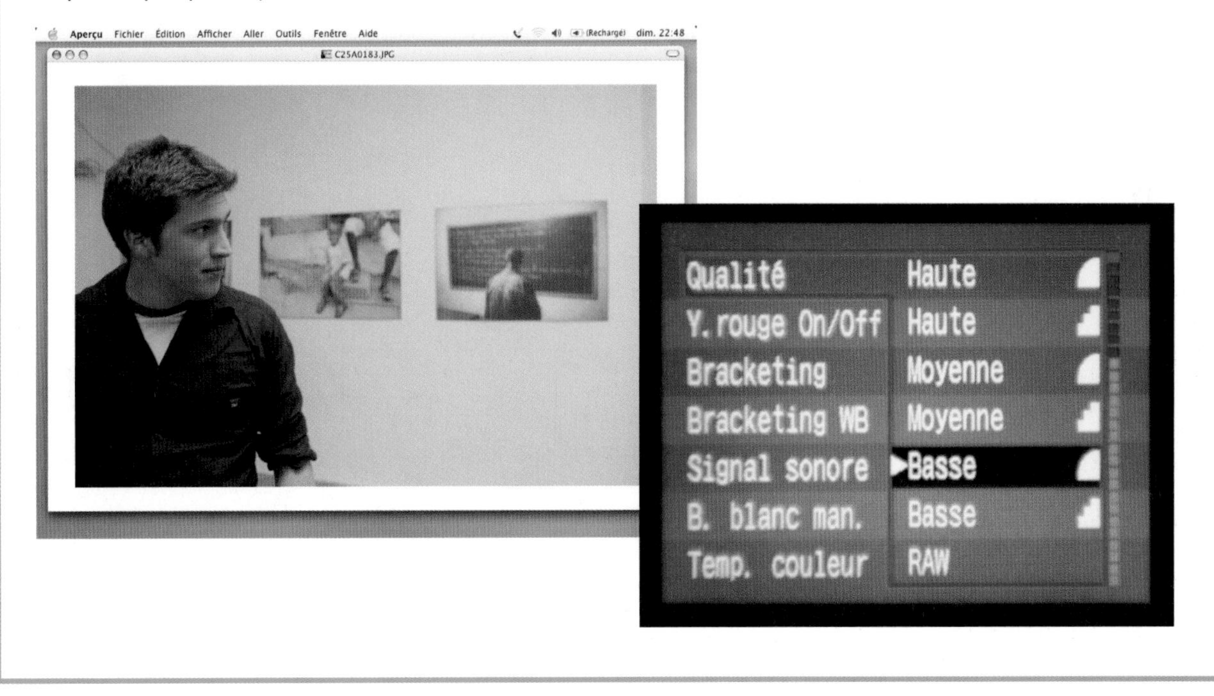

Principe de compression JPG

Une image numérique est constituée de nombreuses informations lumineuses. Certaines se répètent, elles sont dites « redondantes ». Un aplat de couleur éclairé de façon homogène n'est constitué que d'informations redondantes, c'est-à-dire qu'il n'y a qu'une seule information de couleur et de lumière qui se répète sur toute la surface. La compression agit sur ces informations redondantes. Seule une information d'origine est enregistrée, les autres pixels ne sont identifiés que par leur nombre et leur emplacement respectifs. Ainsi, la somme d'informations totales est réduite, ce qui allège le poids de l'image. On imagine facilement que pour une photographie du ciel, de nombreux pixels possèdent des informations lumineuses identiques et constituent donc des informations redondantes.

Les fonctions propres à la technologie numérique

▲ *Le cadre noir montre le cadrage obtenu avec un 200 mm sur un boîtier numérique de coefficient 1,6 comparé à un cadrage avec un appareil argentique.*

Contrairement à un appareil argentique, le numérique permet de corriger les images et d'opérer des réglages pendant, avant ou après la prise de vue.

Il est possible de visionner la ou les photos réalisées, de les effacer ou de vérifier la netteté de l'image (selon les modèles d'appareils) grâce à un zoom.

La sensibilité

L'appareil numérique donne également la possibilité de changer la sensibilité à tout moment et ainsi, de passer d'une image prise à l'extérieur en plein soleil avec une sensibilité faible de 100 ISO, à une prise de vue en intérieur dans une pièce peu éclairée à 800 ISO.

La balance des blancs

La température de couleur est également ajustable en fonction des conditions de prise de vue, permettant d'obtenir des résultats de luminosité et de couleur fidèles à la scène photographiées. Cette « balance des blancs » est réglable manuellement sur certains boîtiers. Comme nous l'avons vu auparavant, le photoscope permet aussi de choisir entre différentes résolutions d'images et de maîtriser ainsi l'utilisation de son image. Les appareils numériques offrent la possibilité très fon,ctionnelle, de rectifier et d'optimiser le résultat de sa prise de vue. Ils développent également une dimension ludique de la photographie, avec une maîtrise de l'image, tout en manipulant un objet technologique simple et efficace.

La distance focale

La dimension d'un négatif en photo argentique est de 24 mm x 36 mm. Tel est le format le plus développé auquel s'est adaptée l'évolution du matériel photographique et notamment les objectifs.
Si les principes photographiques ne se sont pas transformés sous l'ère numérique, il existe un élément susceptible de dérouter nos habitudes « argentiques » : la taille des capteurs.
La dimension des capteurs réduit en effet l'angle couvert par les focales, qui est inférieur au format 24 x 36 mm.
Le capteur ne couvre plus qu'une zone réduite d'une scène normalement imprimée sur un film 24 x 36 mm et modifie, de fait, la focale utilisée. Cette dernière est augmentée selon un coefficient multiplicateur déterminé par le rapport entre le format 24 x 36 mm et les dimensions du capteur de l'appareil numérique utilisé.
Un objectif de 300 mm monté sur un boîtier reflex Canon EOS 1 D (dont la taille du capteur est environ de 19 x 29 mm) devient un

Le viseur numérique

Les appareils photographiques numériques offrent la possibilité de viser grâce à un écran à cristaux liquides (ACL). Il est ainsi possible de cadrer à bout de bras, de côté, en plongée et contre-plongée sans grande difficulté. Ce type de prise de vue permet d'exercer notre regard et notre approche du réel. Avoir l'œil contre un viseur nous coupe en effet de la réalité que l'on photographie alors que la distance bras/écran maintient le photographe dans l'environnement qu'il prend en photo. Certains appareils possèdent un écran et un viseur pour cadrer. Cependant, tous les écrans ne servent pas à cadrer. Sur les reflex numériques l'écran au dos du boîtier permet de visionner les images réalisées ou de consulter les menus de réglages. Le cadrage n'y est fait qu'au travers du viseur.

375 mm, le coefficient multiplicateur étant de 1,25. Il est de ce fait difficile de photographier des grands angles, surtout avec les appareils compacts dont la taille des capteurs est plus réduite que sur les boîtiers reflex, car le coefficient multiplicateur est bien plus élevé. Cette différence peut cependant être utile pour la photographie animalière ou les clichés sportifs, le coefficient de certains boîtiers permettant d'obtenir des focales bien plus grandes. Pour un EOS 10 D, le coefficient de 1,6 transforme un 300 mm en 480 mm.

L'énergie du numérique

Selon le type d'appareil numérique et son modèle, vous utiliserez différentes sortes d'énergies.
En général, des piles sont nécessaires à l'alimentation des appareils de type « Compact », comme les LR6. Mais les batteries se répandent afin d'alimenter des appareils de plus en plus perfectionnés et gourmands en énergie. La consommation liée à l'utilisation des fonctions de prise de vue et à l'alimentation de l'écran ACL rend les piles peu adaptées aux appareils numériques car leur durée de vie est relativement courte pour ce type de technologie.

Les batteries

Les batteries, qui sont en fait un assemblage de plusieurs accus, varient selon les marques.
Cependant, il n'est pas nécessaire d'en acheter dans la marque de votre appareil. À tout type de batterie Canon ou Nikon, par exemple, correspond une ou plusieurs marques génériques.

La température de couleur

Dans un contexte d'éclairage artificiel (ampoule), ces photos montrent l'importance du bon choix de température de couleur ou balance des blancs. La première en bas à gauche (1) a été prise au flash, ce qui donne un résultat bleuté. L'image au centre (2) est réglée sur une température correspondant à une prise de vue extérieure par beau temps, le résultat est jaune. La dernière photo (3) correspond à une température d'éclairage artificiel. C'est l'image la mieux équilibrée.

1

2

3

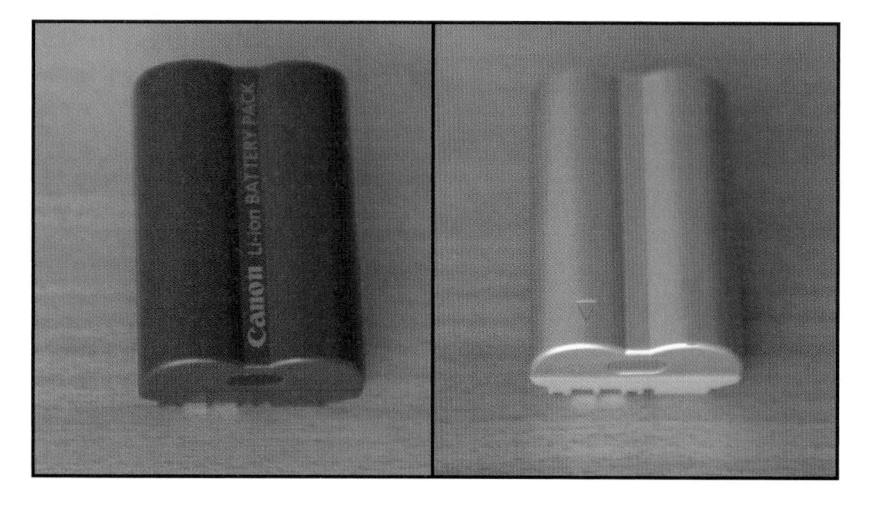

▲ ***La longévité et le prix différencient ces deux batteries de type Li-ion.***

Si leur efficacité sur le long terme est moindre, l'utilisation quotidienne de ces « sous-marques » est tout à fait satisfaisante et leur prix est parfois deux fois moins cher que celui de la marque.

Les accus

L'utilisation d'accus, qui sont des piles rechargeables, est tout à fait satisfaisante. La durée d'utilisation d'un appareil numérique devient raisonnable, mais surtout, les frais sont réduits car il n'est plus nécessaire d'acheter fréquemment des piles, il suffit de recharger les accus. Le point noir des accus et des batteries est appelé « effet de mémoire ». Lorsque vous chargez vos accus, évitez de les laisser plus longtemps que cela est nécessaire. La surcharge provoque en effet une détérioration qui génère une perte de tension et donc d'autonomie. Si les performances des accus sont sans cesse améliorées, leur solidité n'est cependant pas totale et l'entretien d'une batterie ou d'un accu est très important dans sa durée de vie. Les accus de type Nickel Cadnium (Ni-Cd) sont sensibles à cet effet de mémoire, tandis que leurs « cousins » Nickel Métal Hydrure (Ni-MH) résistent bien mieux à ce dysfonctionnement et peuvent supporter un plus grand nombre de rechargements.

Accus et flashs

Les accus présentent des capacités différentes. 1 800, 2 100 ou encore

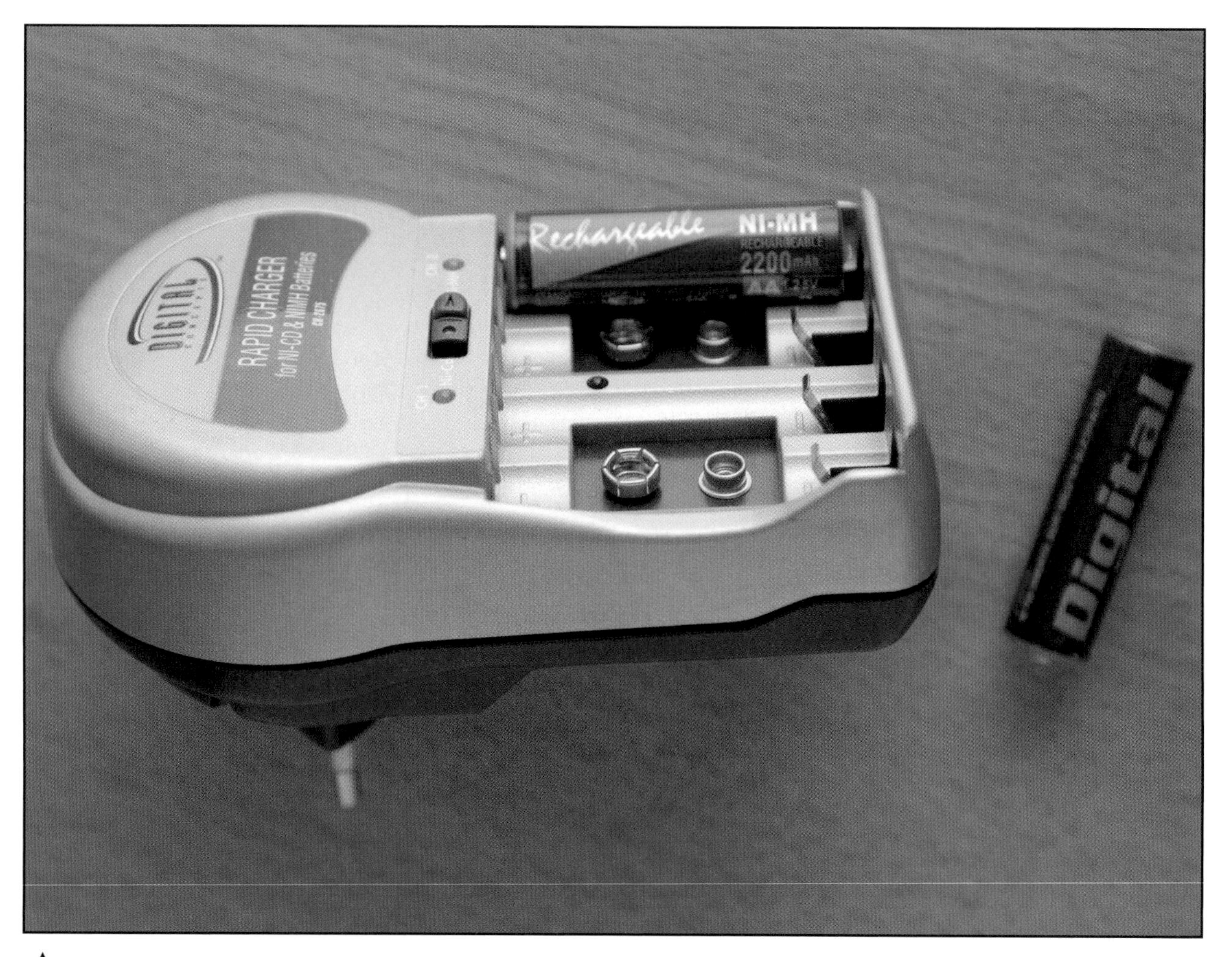

▲ ***Certains chargeurs peuvent régénérer des accus de type Ni-MH et Ni-Cd.***

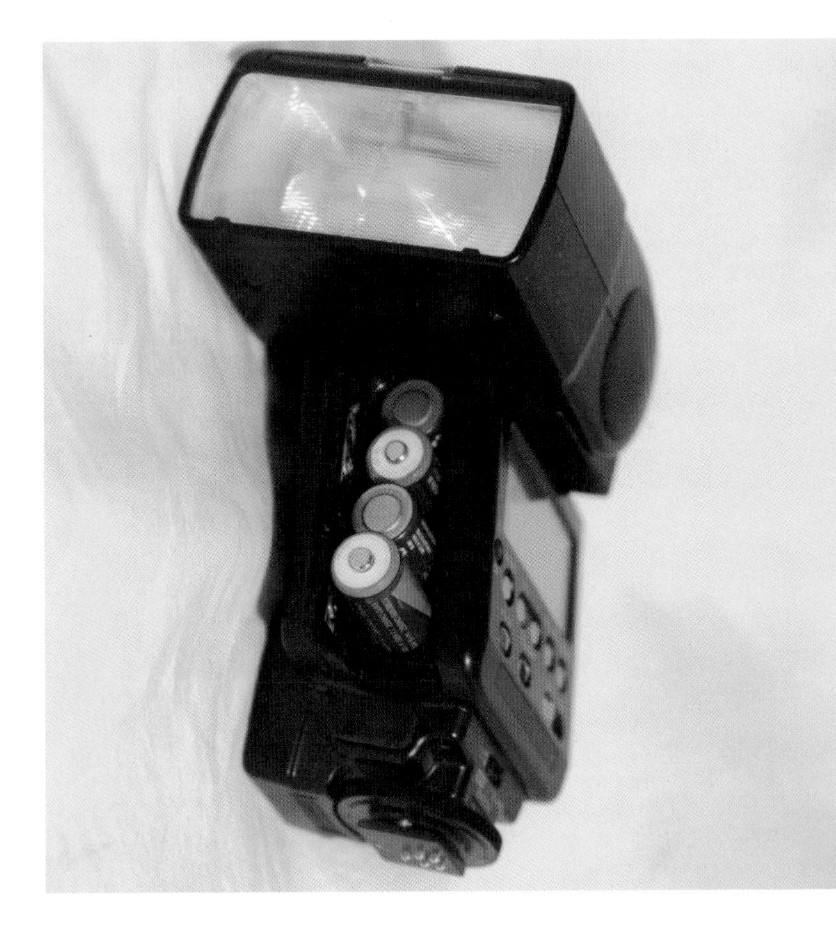

2 300 mAH engendrent des différences de puissance et donc de durée de fonctionnement.
Ces variétés d'accus revêtent une importance particulière lorsqu'ils sont utilisés pour des flashs.
Leur intensité détermine en effet la vitesse de rechargement et la durée pendant laquelle les éclairs peuvent être envoyés à pleine puissance.
Il est vivement conseillé, pour ne pas déséquilibrer l'homogénéité énergétique de vos accus, de ne pas les recharger séparément. Cela réduit de façon conséquente l'autonomie de ces sources d'énergie.
Dernier point important, n'oubliez pas de jeter vos piles, accus et batteries dans des lieux bien spécifiques, pour préserver l'environnement.

◀ ***Si les accus permettent d'éviter l'achat régulier de piles, leur utilisation dans les flashs peuvent cependant provoquer des différences d'intensité.***

Les bornes numériques des laboratoires

Bien que l'ordinateur soit un outil indispensable de la technologie numérique, vous pouvez posséder un appareil photo numérique sans être équipé de matériel informatique. Les laboratoires photographiques et magasins spécialisés sont aujourd'hui pourvus de « bornes » ou « stations » de développement numérique, conçues pour réaliser des tirages photographiques de façon autonome. Ces machines acceptent l'accueil de nombreux supports de stockage (différents types de cartes mémoires, CD, disquette...) ainsi que des périphériques sans fil et infrarouge (téléphones) afin de vous proposer différents services. Tirages, agrandissements, photos avec décors, vous avez la possibilité de choisir des sorties immédiates de vos photos ou de les commander. Dans ce cas, il faut retourner, deux ou trois jours plus tard, sur la borne pour récupérer vos clichés. La taille des tirages ainsi que les traitements habituellement réalisés sur ordinateur expliquent le délai entre la commande et l'acquisition immédiate des photos.

▶ ***Les bornes accueillent différents types de cartes pour des tirages photographiques immédiats.***

◀ ***Relié à l'ordinateur, le lecteur de carte accueille la carte mémoire pour transférer les images sur le poste informatique.***

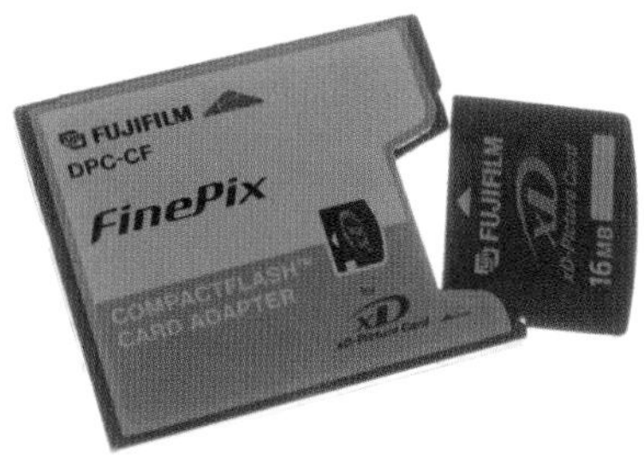

▲ ***Cet adaptateur permet de transférer les données d'une xD card*** **via** ***un lecteur de CompactFlash.***

Le transfert d'images

Lorsque votre prise de vue est terminée, que votre carte mémoire est pleine, il ne vous reste plus qu'à transférer vos photographies sur votre ordinateur.

Le transfert direct

Pour cela, vous avez plusieurs possibilités. La première consiste à brancher directement votre appareil numérique sur votre poste informatique grâce à un câble fourni avec le matériel photographique. Après avoir installé le logiciel de transfert sur votre ordinateur (également fourni avec l'appareil numérique), vous pouvez connecter l'appareil à l'ordinateur et attendre que vos photos soient transférées. La vitesse de transfert dépend du type d'interface (port d'entrée et de sortie des informations) que vous utilisez.

Le transfert par lecteur de cartes

Vous pouvez également transférer vos images *via* un lecteur de carte mémoire. Pour cela, il suffit de placer la carte mémoire dans un lecteur compatible à son format et de relier le lecteur à un port de l'ordinateur. La vitesse de transfert dépend fortement de la marque de votre carte.

Le transfert direct avec cartes

Aujourd'hui, certains ordinateurs sont pourvus de lecteurs de cartes intégrés. Il est donc possible d'insérer votre carte mémoire directement dans l'ordinateur. Attention : si vous optez pour l'achat d'un poste informatique possédant un ou plusieurs lecteurs intégrés, assurez-vous que les formats de cartes qu'il accepte correspondent aux cartes que vous utilisez dans votre appareil photo numérique.

Le transfert sur imprimante

La nomadisation des imprimantes permet de rendre certaines d'entre elles indépendantes d'un poste informatique. Elles possèdent des lecteurs de cartes intégrés et accueillent différents types de cartes mémoires. Il est donc possible de se déplacer avec de telles imprimantes, de connecter la carte mémoire et d'imprimer des images directement après la prise de vue.

Les adaptateurs

Afin de faciliter les transferts d'images, des adaptateurs permettent l'utilisation de certains types de cartes dans des lecteurs que ne leur sont pas destinés. Les adaptateurs se branchent directement sur l'ordinateur et certains peuvent accueillir plusieurs types de cartes mémoire.

Envoyer une photo par Internet

Un des grands avantages de la photographie numérique est la possibilité d'utiliser le web pour diffuser et partager des images. Professionnels et particuliers sont concernés par ce transport électronique des photos, mais dans des conditions différentes.

Il est important de rappeler que la photographie numérique ne concerne pas uniquement les images prises avec des appareils numériques, mais également les photos prises en argentique, puis numérisées à l'aide d'un scanner.

Une fois que votre photo a été transférée sur votre poste informatique, vous allez traiter l'image afin de modifier sa taille et donc, son poids. La diminution du poids de l'image facilite en effet son envoi par e-mail. Profitez-en pour améliorer votre photo en lui redonnant un peu de couleur, de contraste et de luminosité au besoin.

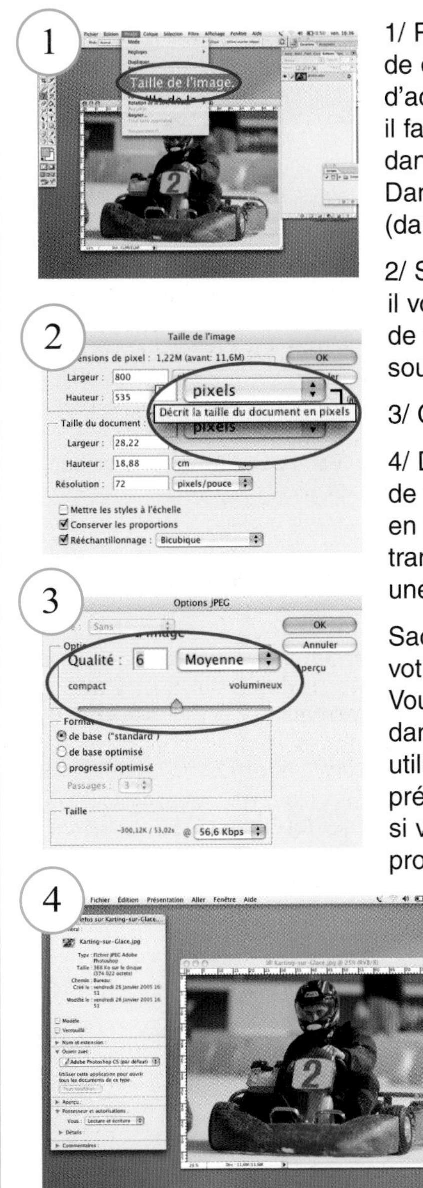

1/ Pour envoyer votre ou vos photos, vous devez accéder au menu de dimension des images. Selon votre logiciel de traitement, la façon d'accéder à la taille de l'image peut être légèrement différente, mais il faut passer de manière quasi systématique par un menu Image dans le logiciel en question.
Dans ce menu, choisissez par exemple l'option « Taille de l'image » (dans Photoshop) ou « Redimensionner » (dans Paint Shop Pro).

2/ Si votre envoi est destiné à être visionné sur un écran d'ordinateur, il vous suffit de mettre la photo en 72 dpi (« résolution écran »), de vous placer dans le menu Fichier et d'aller dans « enregistrer sous » afin de donner un nom à l'image.

3/ Choisissez ensuite un degré de compression JPEG.

4/ Dans notre exemple, le choix de JPEG 6 transforme le poids initial de 11,6 Mo d'une photo prise avec un Reflex de 6 millions de pixels en 368 Ko (à 72 dpi). La photo est désormais légère et facile à transmettre en pièce jointe d'un e-mail, ce qui est impossible avec une image de 11 Mo.

Sachez que le degré de compression JPEG amoindrit la qualité de votre image, tout comme le nombre de pixels en hauteur et largeur. Vous pouvez modifier ce nombre en sélectionnant « Rééchantillonage » dans le menu Taille image. Cette option permet de restreindre à une utilisation écran une image et d'empêcher son impression. Cela vous prémunit contre une utilisation abusive de votre photo, par exemple, si vous envoyez des images pour la presse ou à d'autres destinataires professionnels.

Attention : veillez à garder un degré de compression convenable si vous laissez la possibilité à votre destinataire d'imprimer votre image. Dans ce cas, il vaut mieux en effet mettre l'image en 300 dpi et jouer sur une compression plus légère (9, par exemple) afin de conserver une bonne qualité tout en facilitant son trajet sur le net. C'est désormais très simple, les débits actuels de connexion permettant le transit d'images plus lourdes, donc de meilleure qualité.

Classer et organiser vos photographies numériques

Le numérique propose de nombreuses solutions de classement et de visualisation de vos images, en fonction de votre matériel et de vos goûts personnels.

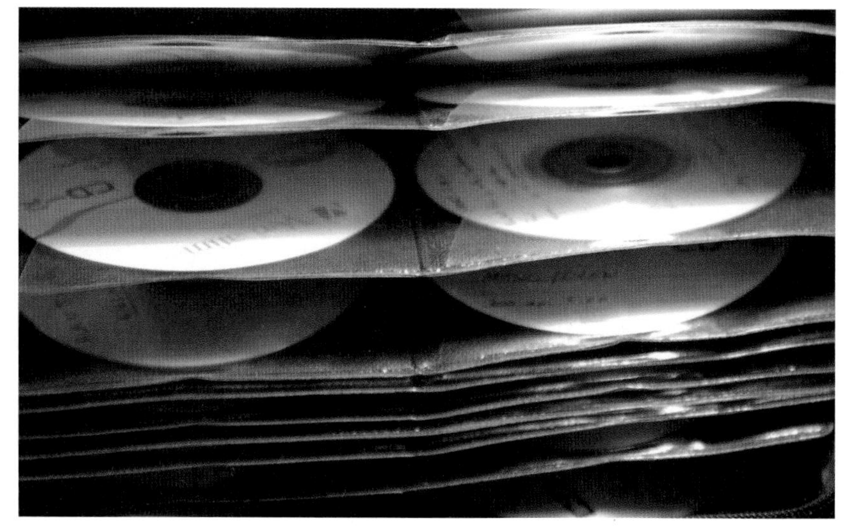

Les vignettes

Si vous possédez plusieurs périphériques (un scanner et une imprimante), vous pourrez organiser vos images comme bon vous semble. Vous consultez d'abord vos images à l'écran, et après élimination de celles qui ne vous intéressent pas, vous pouvez procéder à l'impression d'index ou de planches-contact.

Les Index

De nombreuses imprimantes dédiées à la photographie vous permettent d'éditer des index. En effet, certaines d'entre elles sont aujourd'hui équipées de lecteurs de carte. Il vous suffit donc de l'insérer dans l'imprimante pour obtenir un index de toutes vos photographies.

Afin de réaliser des index propres et efficaces, il est conseillé de procéder à une présélection de vos images sur votre appareil photo numérique avant d'insérer la carte. L'index permet de visualiser rapidement vos photos, mais la lisibilité n'est pas toujours très bonne.

Il constitue un parfait outil d'organisation, proposant un système visuel simple si l'on souhaite retrouver une image.

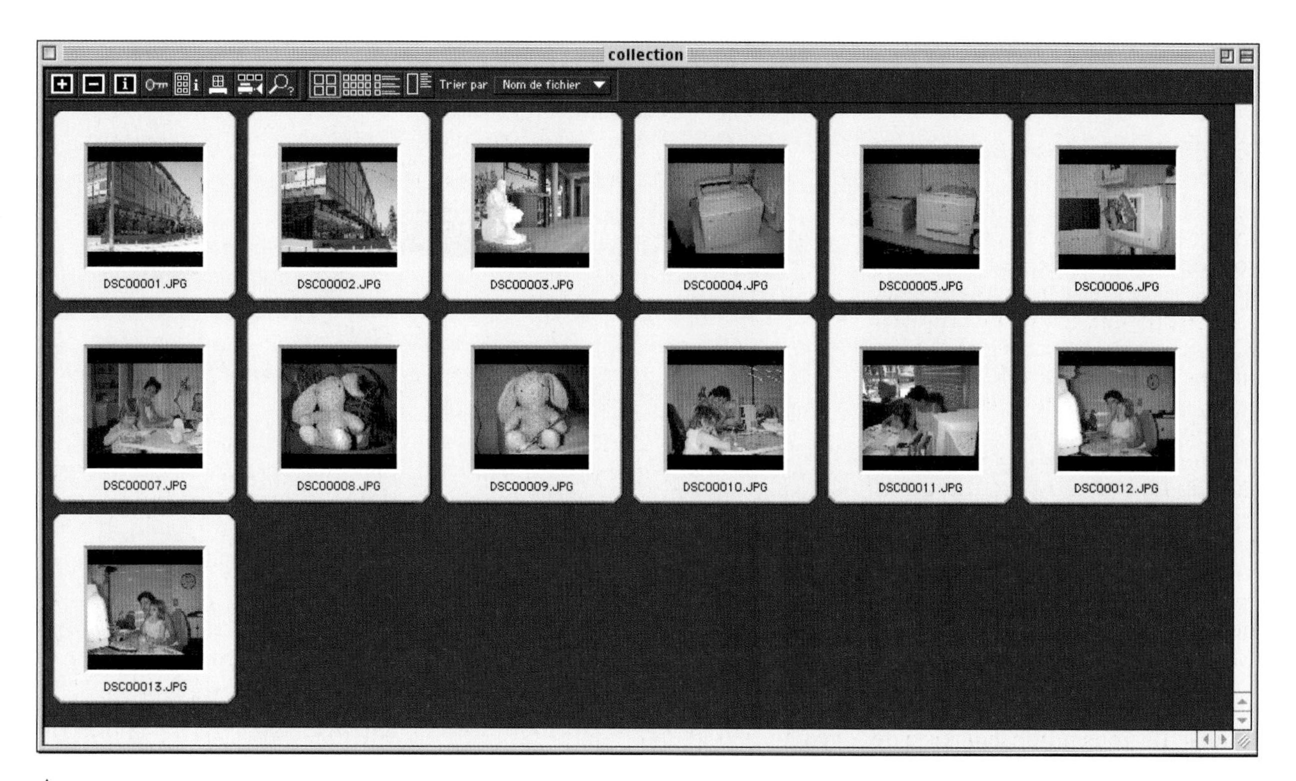

▲ ***L'ordinateur offre l'avantage de pouvoir consulter ses images et de conserver les plus intéressantes. Le classement de vos images devient aussi élaboré qu'une véritable base de données.***

▼ ***La planche-contact permet de sélectionner les images qui vous intéressent tout en conservant une trace de celles que vous n'utiliserez pas dans l'immédiat.***

La planche-contact

La planche-contact s'obtient à l'aide d'un scanner et/ou d'un logiciel de gestion d'images. C'est un outil de sélection d'images et un document de travail pour les photographes professionnels.

Les albums numériques

Les albums numériques présentent une grande souplesse d'organisation et surtout une légèreté très appréciable, contrairement aux versions papier. Il suffit d'acquérir un logiciel adapté au classement des images et permettant de visionner celles-ci. L'album devient alors une véritable base de données, quelle que soit votre activité photographique. L'application numérote et répertorie vos images en fonction de critères qui vous sont personnels. Ainsi, chaque image peut être immédiatement retrouvée et également visionnée sur votre téléviseur. De nombreux logiciels vous permettent de réaliser des présentations colorées et plaisantes pour vos albums. Ils vous proposent aussi de nombreux effets spéciaux pour créer de belles transitions d'images.

Les logiciels de retouche

Une fois la capture d'image réalisée, les photos peuvent être traitées et retravaillées informatiquement, grâce à différentes techniques et à divers outils.

Si vous comptez travailler avec des images numériques, c'est que vous les avez capturées par l'intermédiaire d'un scanner ou d'un appareil photo numérique. Vous disposez donc d'un logiciel livré avec ce type de matériel. Il vous permettra de visualiser et de transformer vos images.

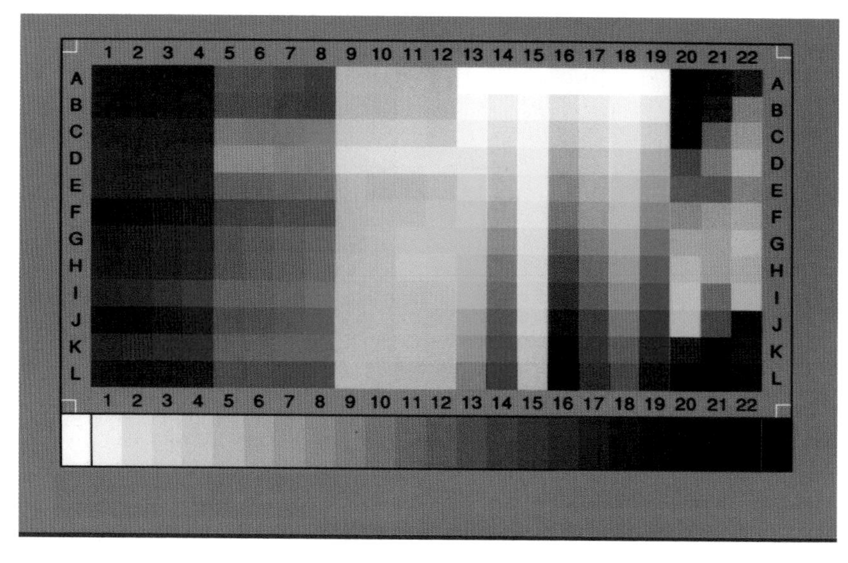

Paramètres incontournables

Pour travailler correctement et afficher facilement vos images à l'écran, vous devez calibrer le moniteur de votre ordinateur de façon à faire coïncider l'affichage des couleurs avec l'impression des photographies. De plus, vous devez absolument libérer suffisamment de mémoire RAM afin de manipuler les images sans que la machine ralentisse. Sachez qu'un logiciel de retouche d'images exige trois à cinq fois plus de mémoire RAM que les logiciels de bureautique.

Les principaux logiciels

Vous trouverez de nombreux produits sur le marché. Les plus accessibles (souvent gratuits) sont les utilitaires proposés en libre accès sur Internet. Ces sharewares peuvent être des visionneuses d'images permettant de créer des albums numériques et d'accéder à des fonctions de retouche basiques. Vous trouverez également des logiciels plus performants que vous pourrez télécharger et tester avant de les acheter. Le produit le plus répandu est Paint Shop Pro. Il permet de créer des objets graphiques grâce à des superpositions de calques vectoriels et propose la plupart des fonctions de retouche traditionnelles. Photoshop reste, quant à lui, le produit incontournable pour les professionnels de l'image. Il est malheureusement coûteux et difficile d'accès.

La gamme de logiciels

Les logiciels livrés avec les appareils photo numériques sont tout à fait satisfaisants. Ils permettent généralement de transférer les images vers l'ordinateur et de les afficher à l'écran. Les images sont proposées dans de petits formats afin de les consulter en intégralité et de choisir celles que vous conserverez. Si vous employez un scanner, les interfaces « logiciel » sont parfois plus compliquées.
Il convient de tester les réglages lors de la prévisualisation de la photographie avant de lancer la numérisation effective de l'image.
Vous trouverez de nombreux logiciels sur le marché. Les plus accessibles (souvent gratuits) sont les utilitaires proposés en libre accès sur Internet. Ces « sharewares » peuvent être des visionneuses d'images permettant de créer des albums numériques et d'accéder à des fonctions de retouche basiques. Vous trouverez également des logiciels plus performants que vous pourrez télécharger et tester avant de les acheter. Citons les trois logiciels les plus répandus : ACDsee, Paint Shop Pro et Photoshop. ACDsee reste un logiciel de visualisation et de classement d'images très efficace. Paint Shop Pro offre des outils de base pour la retouche d'images et permet la création d'éléments graphiques pour vous amuser avec vos photos. Photoshop reste le logiciel le plus complet de traitement d'image. Utilisé par les professionnels, il est malheureusement

coûteux et difficile d'accès. Il existe cependant des versions limitées de Photoshop qui, associées à des logiciels d'organisation comme ACDsee, deviennent des outils relativement performants et accessibles.

ACDsee

Ce gestionnaire de photo est un bel outil d'organisation de banques de photos. Il permet d'organiser et d'éditer des images très simplement afin de pouvoir les partager en ligne, de les consulter rapidement et aisément.
Une fenêtre de navigation permet ainsi de visualiser et de parcourir brièvement les photos.
Dans un souci d'organisation, ACDsee offre la possibilité de voir simultanément le contenu de différents dossiers. Il est également pourvu de fonctions de retouche et qui invitent à développer sa créativité.

Paint Shop Pro

Ce logiciel a évolué régulièrement chaque année pour devenir un élément incontournable de la création et de la manipulation d'images. Puissant, professionnel et populaire, Paint Shop Pro autorise des réajustements d'image comme des corrections de perspective, de couleur et des révisions de taille de photo. Vous pouvez vous essayer à la création grâce à de nombreux effets de texture, d'éclairage, ainsi que des effets 3D.

Adobe Photoshop Element

Conçu par les développeurs de Photoshop, ce logiciel est un outil de retouche et de traitement d'image très plaisant.
Il cumule le traitement de l'image permettant des corrections de lumière ou l'élimination de défauts, avec des capacités d'organisation. Création de diaporama, regroupement de photos similaires ou recherche de photos par thèmes font ainsi parti de ses fonctions.
Présenté en coffret pratique et économique, il propose à la fois la retouche photographique, le montage vidéo et la gravure de DVD.

Ce que vous pouvez faire avec un logiciel de retouche

Avant

Après

La palette d'outils standard

Quel que soit le logiciel que vous utiliserez, vous retrouverez fréquemment les mêmes outils de retouche d'images.
Il est important de se familiariser avec la palette d'outils que proposent la plupart des applications qui travaillent avec la photographie numérique.
Le potentiel de ces petits outils est tout à fait surprenant. Après de nombreux essais, vous serez à l'aise avec les fonctions principales des logiciels de retouche.
Avec de l'expérience, vous choisirez avec précision l'outil adéquat et vous transformerez vos images aussi rapidement qu'un professionnel.
N'hésitez pas à explorer l'Aide contextuelle des logiciels qui vous propose instantanément des précisions concernant les outils graphiques.
Des exercices didactiques vous permettront également d'aborder plus concrètement la retouche d'images.

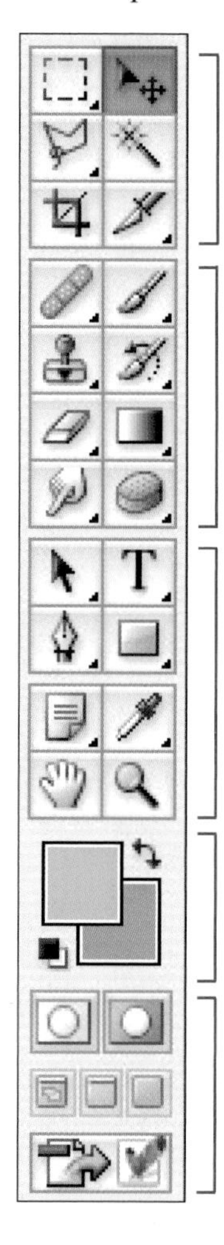

Les outils de sélection

Les modes de sélection doivent être choisis en fonction de la forme initiale de l'objet. Vous disposez d'outils de sélection dont la forme est prédéfinie et d'un outil à main levée. Une fois les objets sélectionnés, vous pouvez les déplacer, ajouter des calques pour insérer du texte ou superposer des images en vue d'un montage.

Les outils graphiques

Ils simulent parfaitement l'effet produit par des outils de dessin traditionnels tels que le pinceau, le crayon, la gomme ou l'aérographe. D'utres outils plus particuliers comme la Goutte d'eau, le Tampon ou la Baguette magique sont plus précis et offrent de nombreuses possibilités de transformation des images. Ils copient, estompent ou suppriment des pixels et opèrent des modifications spectaculaires sur vos images.

Texte et remplissage

L'outil Texte vous permettra d'insérer aisément une légende ou un titre à vos images. La plume vous servira à effectuer des détourages précis. Quant aux outils Pipette et Pot de peinture, ils vous permettent de prélever ou d'appliquer une couleur sur un objet. Vous avez également la possibilité de créer des dégradés. Pour être plus précis dans vos actions, n'hésitez pas à utiliser la loupe.

Les couleurs

Par défaut, la couleur d'arrière-plan sera le blanc et celle de premier plan le noir. Mais vous pouvez modifier une couleur en cliquant simplement sur celle-ci. Un nuancier apparaît et vous choisissez celle qui correspond à vos besoins. Vous pourrez ensuite l'appliquer à vos sélections grâce aux outils de remplissage.

Affichage

La palette d'outil vous offre plusieurs possibilités d'affichage. Vous pouvez afficher votre image en mode standard ou bien visualiser les sélections que vous effectuez grâce au mode masque. Vous pouvez demander à ce que la fenêtre d'affichage soit standard ou en plein écran.

Le tampon : l'outil de clonage par excellence

L'outil tampon est l'un des plus utiles de la palette. Une fois le principe de fonctionnement assimilé, il est en effet facile à employer et permet de corriger rapidement tous les défauts. Ici, nous l'avons utilisé pour effacer l'œillet en haut à gauche de la photo d'identité. Pour que l'effet soit naturel, il a fallu « cloner » le pli du rideau de l'arrière-plan et une partie de la chevelure du sujet. Il suffit de cliquer une première fois avec l'outil tampon pour dupliquer, comme par magie, la zone qui vous intéresse.

Corriger vos images

La prise de vue ne s'effectue pas toujours dans des circonstances idéales et certains détails peuvent vous paraître, lors du tirage, gênants et peu esthétiques.

Recadrer

L'un des premiers avantages offerts par la technologie numérique est de pouvoir modifier ou recadrer l'image très facilement. Il suffit de supprimer les parties indésirables de l'image et de profiter de l'occasion pour replacer l'image dans le format qui lui convient mieux. Vous passerez ainsi facilement une image prise horizontalement (paysage) à la verticale (portrait). Les outils de sélection vous permettent de choisir la zone de l'image qui vous intéresse puis de l'enregistrer dans un nouveau fichier.

▲ *Lors de la prise de vue, il est possible que vous ayez opté pour un cadrage horizontal. Si vous souhaitez recadrer l'image autour du personnage, vous pouvez également en profiter pour changer d'orientation.*

Éliminer les yeux rouges

La prise de vue en faible lumière oblige parfois à employer un flash. Or, il est fréquent que les personnages soient alors affublés des « yeux rouges » que nous redoutons tous en tant que photographes. Il existe deux recours. L'un est préventif, l'autre est du domaine de la retouche numérique.
On peut supprimer ce défaut au moment de la prise de vue. En effet, la plupart des appareils actuels propose une touche anti-yeux rouges qui évite ce phénomène visuel gênant. Vous pouvez également éclairer fortement la pièce dans laquelle se trouve votre sujet pour que ses pupilles se rétractent.

Luminosité/Contraste

Nous possédons tous des images que nous aimerions garder mais dont la qualité n'est pas satisfaisante. Trop sombres ou trop ternes, ces images ne sont pas perdues, car elles peuvent être améliorées. Des courbes de luminosité permettent en effet de travailler les lumières que vous n'avez pas obtenues lors de la prise de vue.
Cependant, la luminosité ne peut à elle seule transformer une image trop sombre en photographie de qualité. L'augmentation ou la diminution du contraste vous aidera néanmoins à donner du caractère et une certaine force à votre image.

▼ *On peut corriger les imperfections des photos de famille abîmées par le temps, avant le retirage.*

► *Tous les logiciels de retouche d'images proposent des outils permettant de corriger efficacement et rapidement l'effet des yeux rouges. Sélectionnez la zone à retoucher et la correction s'effectue utomatiquement après avoir cliqué sur le bouton de commande adéquate. Si votre logiciel ne possède pas de procédure automatique, il suffit de « peindre » les yeux pixel par pixel en fonction de la couleur des yeux de votre sujet.*

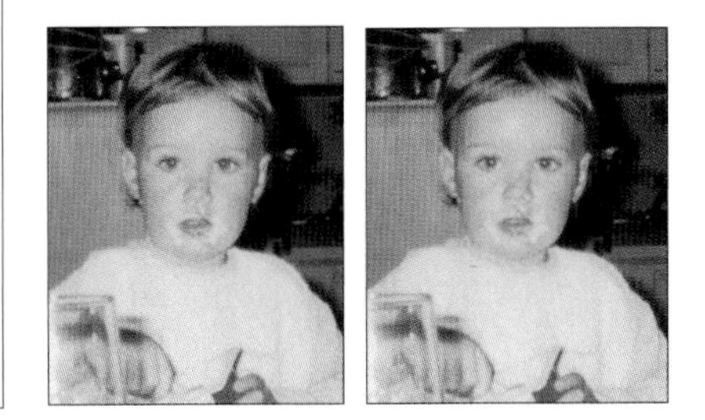

Les effets spéciaux

Les logiciels de retouche, notamment Adobe Photoshop, permettent de transformer les images en leur appliquant des effets spéciaux très impressionnants. Il existe une large gamme d'effets spéciaux qui nécessitaient auparavant, en laboratoire, une grande maîtrise de la technique de développement pour obtenir des résultats pourtant bien inférieurs de ceux obtenus aujourd'hui avec un simple clic de souris.

Les effets classiques

Les effets classiques concernent les transformations graphiques les plus basiques.

Les effets artistiques

Les effets artistiques simulent une intervention au niveau du tirage de différentes techniques graphiques telles que la peinture, l'aquarelle ou l'utilisation de papier à grains.

▲ *Pointillisme*

Plus créatifs, ces effets offrent un éventail de trames très spécifiques.

◄ *Tracé de contours*

◄ *Flou gaussien*

Quelles que soient les transformations apportées à vos images, vous devrez choisir l'effet en fonction de votre sujet.

► *Ajout de bruit*

Filtres

Les filtres permettent de retravailler une image et de lui donner un ton différent. Ils s'appliquent très facilement, mais la subtilité des résultats est le fruit d'un dosage attentif. Ils peuvent être cumulés, mais il est préférable de les choisir en fonction de la nature du sujet. Certains filtres transforment radicalement la photographie initiale et offrent la possibilité de créer de nouvelles compositions.

▲ *Coordonnées polaires*

▲ *Contractions*

▲ *Carrelage*

▲ *Tourbillon*

Les retouches avancées

Explorons davantage l'univers magique de la retouche numérique. Équipé d'un logiciel de retouche performant, comme Adobe Photoshop, vous ne trouverez aucune limite à la création d'images très originales.

Le virage

Le virage ou la coloration des tirages est l'un des premiers pas dans l'amélioration de l'impact de l'image.
Auparavant, il fallait acquérir des papiers différents pour espérer obtenir des tonalités ou des virages, relevant de procédés chimiques complexes.
Grâce au numérique, vos portraits peuvent prendre facilement l'aspect sophistiqué des anciennes images virées à l'or ou à l'argent. Le sépia est le virage traditionnel, mais vous serez sans aucun doute également tenté par la coloration dans des teintes plus nuancées.

La couleur et le noir et blanc

Le mélange de la couleur et du noir et blanc permet de souligner les qualités visuelles d'une image. Le contraste entre le sujet coloré et le fond gris assure une intensité des couleurs.

► ***Les deux images ont été superposées pour créer un effet étonnant.***

Le mouvement

La grande déficience des appareils numériques étant leur difficulté à saisir un sujet en mouvement et à exprimer la sensation de vitesse, la retouche photographique peut s'avérer très convaincante.

► ***L'effet soufflerie accentue l'impression de vent dans les cheveux.***

La création graphique

Au-delà de l'aspect pratique et ludique de la photographie à domicile, le domaine du graphisme s'est, avec le numérique et l'infographie, enrichi d'une technique exceptionnelle. La superposition des calques permet une grande liberté de création et favorise le travail intuitif. Vous pourrez combiner les effets graphiques et composer des images personnelles étonnantes.

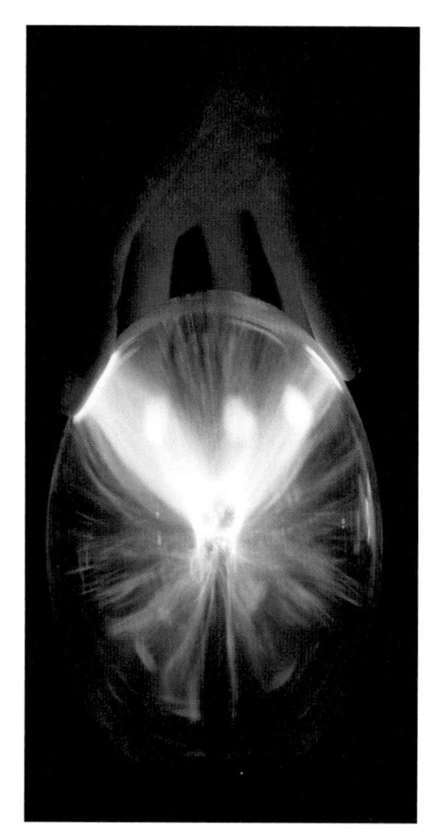

Le stockage

Le stockage des images est un aspect très importants car la prise de vue numérique génère un grand nombre d'images.

Temporaire ou définitif

Les clés USB permettent par exemple un stockage momentané, un temps de sécurité avant d'inscrire les photos sur un CD. Les progrès technologiques rendent de plus en plus épineuse la question du stockage car si la qualité des images augmente d'année en année, leur poids progresse également. De ce fait, les supports de stockage évoluent pendant que d'autres modifient les habitudes d'utilisation, comme les lecteurs.
L'incontournable CD est un support des plus efficace. Il permet de conserver longtemps (à condition d'en prendre soin) de nombreuses images et documents autorisant un stockage de 700 Mo.

Évolution

Cependant, la consommation et le stockage de CD encombrent les photographes les plus productifs dont les reportages pèsent de plus en plus lourd. L'utilisation grandissante du DVD est aujourd'hui une réponse à l'augmentation du poids des fichiers, d'autant que les graveurs se démocratisent et se répandent sur les machines informatiques. Il est ainsi possible de faire tenir l'équivalent de 7 CD sur un DVD.

Les légendes

En numérique, le nombre d'images croît rapidement. Pensez à légender la photo (date, lieu, événement, nom) afin de ne pas être submergé par des photos sans indications dont vous ne vous souviendrez plus.

Astuce

Afin de sécuriser le stockage d'images sur vos CD ou DVD, veillez à laisser 10 % d'espace non occupé lors de la gravure afin de ne pas saturer le support de stockage. Ainsi, laissez environ 70 Mo de marge lorsque vous gravez un CD et 470 Mo pour un DVD.

Le disque dur externe

Si votre production photographique est importante ou que vous ne souhaitez pas encombrer la mémoire de votre ordinateur avec toutes vos images, n'hésitez pas à acheter un disque dur externe. Celui-ci vous offre un espace de stockage capable d'accueillir vos images indépendamment de votre ordinateur tout en y étant relié. Vous pouvez ainsi facilement ranger vos photographies dans cette mémoire depuis votre poste informatique sans encombrer ce dernier. 40 Go, 60 Go, 120 Go sont des exemples d'espaces mémoires proposés par ces disques durs. Ils peuvent évidemment accueillir n'importe quel type de données (documents, photos, textes, documents graphiques…) mais s'avèrent surtout très efficaces en tant que bibliothèque de vos photographies.

Si vous décidez d'utiliser un tel outil de stockage, veillez à graver régulièrement l'ensemble de votre disque dur sur DVD. Cette sécurité vous permet de ne pas avoir vos images uniquement sur une mémoire externe.

Si votre ordinateur ne possède pas de graveur DVD, sachez qu'à l'image des disques durs externes, il existe des graveurs de DVD externes. Ils ne sont ni onéreux ni encombrants, les prix de ces périphériques sont réellement abordables, et leur taille est aujourd'hui suffisamment réduite pour ne pas être encombrant.

Les Reflex numériques

NIKON D70

Avec une résolution de 6,1 millions de pixels, le D70 associe une grande qualité d'image à un coût accessible. Pour moins de 1 000 euros (boîtier nu), vous bénéficierez de sa palette de sensibilités (de 200 à 1 600 ISO), de sa motorisation à trois images par seconde et de ses vitesses d'obturation allant de 30 secondes au 1/8 000ᵉ. Le stockage des images est possible sur les CompactFlash type I et II, acceptant également les Microdrive IBM. Pour environ 1 300 euros, vous trouverez un kit proposant un Nikon D70 complété par un objectif grand angle. Si vous êtes déjà équipé en Nikon, sachez que ce boîtier est compatible avec tous les objectifs de la gamme Nikon, mais n'oubliez pas, lors de votre achat, d'objectifs que son coefficient multiplicateur est de 1,5.

NIKON D2H

Utilisé dans le monde de la presse, ce boîtier numérique professionnel est idéal pour la photographie d'actualité et de sport. Doté d'une grande réactivité, le D2H met ses 4,2 millions de pixels au service d'une photographie rapide et efficace. Les sensibilités, les vitesses d'obturation ainsi que les cartes mémoires acceptées sont identiques au D70. Il est cependant doté d'une motorisation autorisant huit images par seconde et intègre une technologie de communication sans fil, permettant l'envoi des images *via* Internet grâce à un transmetteur WIFI optionnel. Sur le marché, vous trouverez ce boîtier pour 3 200 euros environ.

NIKON D2X

Si vous êtes un adepte des boîtiers Nikon, que vous possédez une gamme d'objectifs de cette marque

▲ *Nikon D2X*

et que vous souhaitez passer au numérique et disposez d'un budget confortable, procurez-vous le D2X sans tarder. Vous apprécierez ses cinq images par seconde à 12,7 millions de pixels, son écran « rétro » éclairé permettant le visionnage dans toutes les conditions, ainsi qu'une compatibilité GPS autorisant un enregistrement des données de position et de prises de vue. L'éventail de sensibilités s'étend de 100 à 800 ISO, ses vitesses d'obturation vont de 30 secondes au 1/8 000e, le tout pour un peu plus de 5 000 euros. Un boîtier haut de gamme pour toutes les utilisations.

CANON EOS 300D

Ce boîtier est l'entrée de gamme de la marque, en Reflex numérique. Il offre une réactivité et une qualité d'image pour une photographie soignée. De 100 à 1 600, les différentes sensibilités permettent des prises de vue dans de nombreuses conditions de lumières et ses vitesses d'obturation s'échelonnent de 30 secondes au 1/4 000e. Le lecteur de cartes accueille les CompactFlash type I et II. Léger et maniable, ce boîtier de 6,3 millions de pixels est accessible pour environ 1 000 euros avec un grand-angle.

Canon EOS 20D

À mi-chemin entre les boîtiers amateurs et professionnels, le 20D offre 8,2 millions de pixels pour des images de grande qualité. Possibilité d'enregistrement des images simultanément aux formats RAW et JPEG, sensibilité de 100 à 1 600 ISO (jusqu'à 3 200 en mode spécifique), réglage manuel de la température de couleurs sont des fonctions séduisantes de ce boîtier. Son coefficient multiplicateur est de 1,6 et les vitesses d'obturation s'échelonnent de 30 secondes au 1/8 000e avec une motorisation permettant cinq images par seconde.
Sa construction en acier et magnésium fait du 20D un boîtier solide et fiable pour environ 1 800 euros.

CANON EOS 1D MARKII

Ce boîtier est clairement destiné à un usage professionnel. Il conjugue

une grande cadence de prises de vue (huit images par seconde) à une très bonne qualité d'image (8,2 millions de pixels). Fiable et efficace, il offre la possibilité de s'adapter à de nombreuses conditions de prises de vue grâce aux différentes sensibilités proposées (de 100 à 1 600 ISO et de 50 à 3 200 en mode spécifique) et des vitesses d'obturation de 30 secondes au 1/8 000e.
Contrairement à sa version précédente, il donne la possibilité de zoomer sur l'écran.
Le stockage peut s'effectuer sur des CompactFlash ainsi que sur des SD cards et sa construction « tropicalisée » plaira aux baroudeurs. Le prix de ce boîtier au coefficient multiplicateur de 1,3 est d'environ 5 000 euros.

CANON EOS 1DS MARK II

16,7 millions de pixels, un capteur permettant d'utiliser tous les objectifs de la marque sans coefficient multiplicateur, ce boîtier est l'élite des Reflex actuels, tout comme son prix, de 8 500 euros environ. Sa qualité d'image permet de réaliser des agrandissements importants et des recadrages d'excellente qualité. Il est réservé à un usage professionnel.

▲ *Pentax IST DS*

KONICA MINOLTA Dynax 7D

La spécificité de ce Reflex de 6,3 millions de pixels réside dans un stabilisateur intégré au boîtier quel que soit l'objectif utilisé. Un viseur très lumineux renforce l'utilisation agréable de ce boîtier dont les sensibilités sont comprises entre 100 et 3 200 ISO.
Ses touches d'accès direct aux réglages offrent une facilité et une rapidité de manipulation. Son prix avoisine les 1 800 euros, boîtier nu, et 2 500 euros dans un kit avec un grand-angle.

OLYMPUS E-300

Ce Reflex numérique au design inhabituel, puisque le viseur n'est pas placé au centre du boîtier, offre un rapport qualité/prix très intéressant, pour environ 1 000 euros, son capteur de 8 millions de pixels plaira à de nombreux photographes. Compact, il est léger et facile à manipuler. Ses vitesses d'obturation sont comprises entre 2 secondes et 1/4 000e. Les sensibilités proposées vont de 100 à 400 ISO (jusqu'à 1 600 en mode manuel). Dans le choix de vos objectifs, n'oubliez pas que le coefficient multiplicateur est de 2. Le stockage se fait sur des cartes CompactFlash et Microdrive.

OLYMPUS E-1

Tropicalisé grâce à son système anti-éclaboussure, ce Reflex de 5 millions de pixels plaira aux photographes travaillant dans les conditions difficiles. Une autre particularité permet à ce boîtier la suppression des poussières. Ses vitesses d'obturation s'étendent de 60 secondes jusqu'au 1/4 000e et sa motorisation permet trois images par seconde. Les sensibilités s'échelonnent entre 100 et 400 ISO (de 100 à 3 200 en mode manuel) et il possède comme le E-300, un coefficient multiplicateur de 2. L'accueil de cartes mémoires est multiple puisqu'il accepte les CompactFlash et Microdrive type I et II, le tout pour environ 1 400 euros.

PENTAX IST DS

Si vous aimez les boîtiers reflex et que vous appréciez la légèreté, le Pentax IST DS vous plaira. Ce Reflex de 6,1 millions de pixels est un des plus compact du marché. Son poids compris entre 500 et 600 grammes vous permet un transport et une manipulation des plus aisées. Les différentes sensibilités sont réglables sur une plage de 200 à 1 600 ISO (jusqu'à 3 200 en mode personnalisé) et ses vitesses d'obturation sont réglables de 30 secondes au 1/4 000e. Le stockage s'effectue sur des SD cards. Le prix du boîtier est d'environ 1 000 euros.

Les compacts numériques

3 millions de pixels

NIKON COOLPIX 3 200

▲ *Nikon Coolpix 3 200*

Entièrement automatique, ce boîtier possède un zoom 3x pratique pour tout type de prises de vue. Son objectif 38-115 offre un confort d'angle dans vos images, dont la tonalité est modifiable (noir et blanc, sépia, couleurs). Il donne des possibilités de mises au point à 40 cm et 4 cm en mode macro. Le prix de ce Compact est inférieur à 200 euros.

CASIO EXILIM CARD EX-S100

Cet appareil format carte de crédit offre 3,3 millions de pixels et un objectif 36-102 mm. Avec son épaisseur de 17 mm, vous l'emporterez partout très facilement. Vous avez également la possibilité de réaliser des enregistrements vidéo dont la durée dépend de la carte mémoire SD ou MMC utilisée. Le prix de ce Compact avoisine les 400 euros.

4 millions de pixels

OLYMPUS MIU 410

Ce compact « tout temps » aux lignes arrondies et au zoom haute définition 35-105 mm assure de belles images. Il offre la possibilité de prendre des images à 9 cm en mode super macro et d'enregistrer des vidéos d'une vingtaine de secondes. Le stockage s'effectue sur des XD cards. Le prix est d'environ 330 euros.

▼ *Olympus MIU 410*

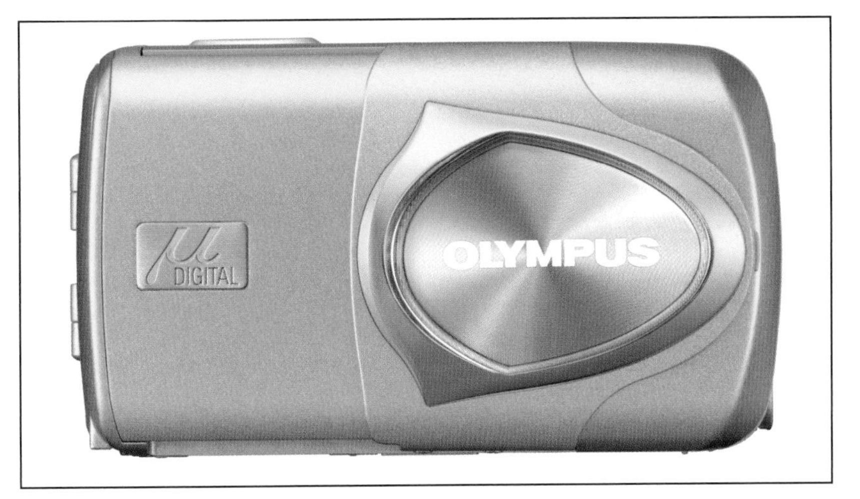

OLYMPUS MIU MINI

Transportable dans de nombreuses conditions météorologiques et de prises de vue grâce à sa construction « tout temps », cet appareil accompagnera vos pérégrinations. La seule vue de votre compact proposé en six coloris métallisés vous donnera envie de l'utiliser ! Un objectif 35-70 mm et un zoom 2x sont les outils optiques de cet appareil dont l'écran LCD est agréablement lumineux. La mise au point s'effectue à 50 cm et 8 cm en mode macro. Un enregistrement vidéo est possible à 15 images par seconde. Son prix se situe entre 300 et 350 euros.

5 millions de pixels

NIKON COOLPIX 5 400

L'ergonomie de la poignée grippée offre une bonne prise en main. Ce boîtier au zoom grand-angle de 28-116 mm permet de nombreuses possibilités d'image, enrichies par

▲ *Nikon Coolpix 5 400*

le mode macro qui autorise des prises de vue à 1 cm. Une griffe permet l'addition d'un flash externe et sa capacité d'enregistrement vidéo avoisine les 3 minutes. L'enregistrement s'effectue sur des Compact Flash type I et II ainsi que sur Microdrive. Le prix du Coolpix 5 400 est d'environ 600 euros.

6 millions de pixels

KODAK EASYSHARE 7 630

Une bonne prise en main, des choix de paramètres de prises de vue simples et variés, ce Compact de 6 millions de pixels représente un bon rapport qualité/prix. Un objectif Schneider 39-117 zoom 3x équipe cet agréable appareil qui enregistre les images sur les SD cards.

Le prix du EasyShare 7 630 est inférieur à 400 euros.

7 millions de pixels

CANON POWERSHOT S70

Ce Compact à haute résolution associe la facilité d'utilisation à une grande qualité d'image. Son objectif 28-100 mm offre de grandes possibilités de prises de vue à partir de 4 cm de distance. L'enregistrement des images s'effectue sur des cartes CompactFlash I et II, son prix est inférieur à 600 euros.

SONY CYBERSHOT DSC-V3

Cocktail de qualités, ce Compact associe une allure sobre et agréable, une grande résolution de 7,2 millions de pixels ainsi que des caractéristiques qui réduiront les experts.
Allié à une grande performance de l'autofocus, son objectif 34-136 mm en zoom 4x autorise des prises de vues à 10 cm. Sa gamme de sensibilité s'échelonne de 100 à 800 ISO, la mesure de la lumière peut s'effectuer en mode spot ou pondéré et sa griffe permet la synchronisation d'accessoires. Le stockage est réalisé sur des Memory Stick et CompactFlash type I. Également capable d'enregistrement vidéos ce Compact a un prix inférieur à 800 euros.

▲ *Canon powershot PRO 1*

Les Bridge-cameras

6 millions de pixels

FUJI FINEPIX S20 PRO

Avec un capteur d'environ 6 millions de pixels, son exigence des détails, son mode macro offrant des prises de vue dès 1 cm, ou encore sa griffe pour accueillir des accessoires synchronisés, le S20 Pro fait partie des appareils haut de gamme. Il donne une possibilité d'enregistrement des images en format RAW sur des Microdrive ou des SD cards ainsi que des séquences vidéo. Son prix avoisine les 850 euros.

8 millions de pixels

NIKON COOLPIX 8 400

Grâce à ses fonctions variées et sa courte focale, ce Compact permet de satisfaire les besoins d'une photographie riche et complète. Des modes photographiques Expert, une griffe offrant la possibilité d'utiliser des accessoires synchronisés, un mode de prise de vue en rafale, le Coolpix 8 400 permet également l'enregistrement d'image au format Raw ainsi que des vidéos sonorisées d'environ 30 secondes. Son grand-angle 24-85 mm autorise des prises de vue à partir de 3 cm en mode macro, son prix est compris entre 800 et 900 euros.

CANON POWERSHOT PRO 1

Son objectif lumineux 28-200 mm propose de très nombreuses possibilités de prises de vue, dont la richesse est renforcée par un mode macro autorisant des photographies à partir de 3 cm. Son capteur haute résolution de 8 millions de pixels permet une grande qualité d'image pouvant être prises de 15 secondes au 1/4 000e dans de nombreux modes d'exposition. Muni d'un écran orientable confortable, le Powershot Pro 1 permet l'enregistrement vidéo et photo sur des CompactFlash Type II. Ses fonctions professionnelles dignes d'un Reflex situent son prix autour de 1 000 euros.

SONY CYBER-SHOT DSC-F828

Reconnaissable immédiatement par un design inhabituel offrant une prise en main agréable, cet appareil numérique comblera vos besoins de qualités d'images et de leurs couleurs. Son zoom 28-200 mm assure une grande gamme de possibilités photographiques. Une griffe pour accueillir des accessoires synchronisés, un autofocus performant complètent les caractéristiques de cet appareil d'environ 1 000 euros. L'enregistrement vidéo et des photos s'effectue sur des Memory Stick et CompactFlash.

KONICA MINOLTA DIMAGE A200

Le 28-200 mm zoom 7x qui équipe cet appareil offre une grande variété de possibilités de prises de vue sécurisées, selon les conditions, par un stabilisateur. Celui-ci est d'autant plus utile que son écran orientable invite à des prises de vue jouant avec l'espace. Ses vitesses d'obturation s'échelonnent entre 30 secondes et 1/3 200e pour des images issues d'un capteur de 8 millions de pixels. Les enregistrements vidéo peuvent atteindre 15 minutes, le stockage s'effectue sur des CompactFlash ou Microdrive. Son prix se situe autour de 900 euros.

Les imprimantes

OLYMPUS P-10

Cette petite imprimante à sublimation thermique, aux dimensions intrigantes mais attirantes d'un cube, offre des tirages de qualité en format 10 x 15cm. Le temps d'impression d'une photo est inférieur à 1 minute. Cette imprimante satisfait par la qualité de ses aplats de couleurs et la durée de vie des images. Son prix approche les 200 euros et celui de son kit consommable (encre + papier pour 100 photos) est de 40 euros.

EPSON PICTUREMATE « BLUETOOTH »

La compatibilité avec l'ensemble des appareils numériques et sa capacité à imprimer des images issues de téléphones équipés « Bluetooth », font de cette « nomade » jets d'encre un allié certain. Facilement transportable, l'Epson PictureMate réalise des tirages 10 x 15cm durables d'excellente qualité. Son prix avoisine les 230 euros tandis que sa version sans connexion « Bluetooth » est inférieure à 200 euros.
Le kit consommable (encre + papier pour 100 photos) est, lui, inférieur à 40 euros.

CANON PIXMA IP 6 000 D

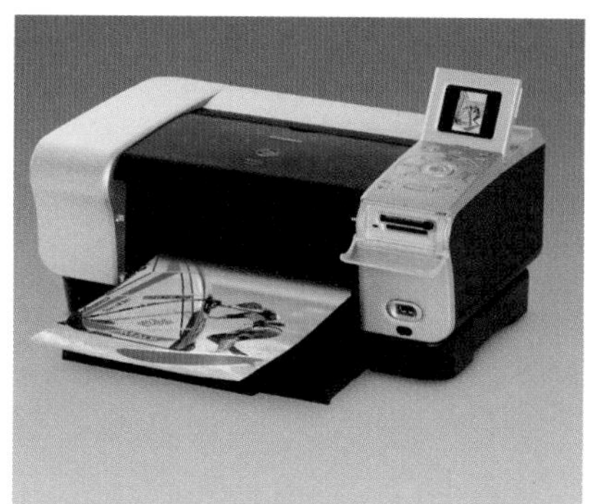

Cette imprimante capable de sortir des tirages au format A4 (sans marge) séduit par sa qualité et sa possibilité d'être directement reliée à un appareil. Un écran permet de consulter l'image prête à être imprimée et de réaliser quelques réglages élémentaires de contrastes. Il est également possible de sortir une planche index. Son prix est inférieur à 230 euros.

CANON MP 130

Capable de réaliser des tirages photographiques sans ordinateur grâce à son lecteur de cartes mémoires, cette imprimante multifonctions intègre également des possibilités de scan et de photocopieur.

▲ *Epson Stylus Photo 2 100*

Les sorties papier peuvent être obtenues aux formats 10 x 15 cm et A4. Un cocktail de polyvalence pour environ 180 euros !

EPSON STYLUS PHOTO R800

Cette imprimante A4 réalise des tirages photographiques d'une très grande qualité. Le rendu des couleurs et des détails de l'image valorise votre travail grâce à une finesse d'exécution. L'optimisation de la brillance des photographies couronne la qualité des sorties. Le prix de cette imprimante se situe autour de 350 euros.

EPSON STYLUS PHOTO 2 100

Associant une grande qualité d'images et une possibilité de tirage grand format, cette imprimante à jets d'encre est un outil haut de gamme. Finesse des détails, rendu des couleurs sont en effet liés à des possibilités de format A3 pour des durées de sortie d'environ 4 minutes.
Le prix de la Stylus Photo 2 100 est inférieur à 700 euros.

◀ *Epson Stylus Photo R 800*

Les scanners

MINOLTA SCAN DUAL IV

Avec une D-max de 4,8, ce scanner à film est capable de retrouver les moindres détails dans les hautes et basses lumières. Rapide et efficace, il est un outil à la portée des amateurs comme des experts. Sa résolution de 3 200 x 3 200 autorise des impressions de grande qualité. Son prix est de 500 euros.

EPSON F-3200

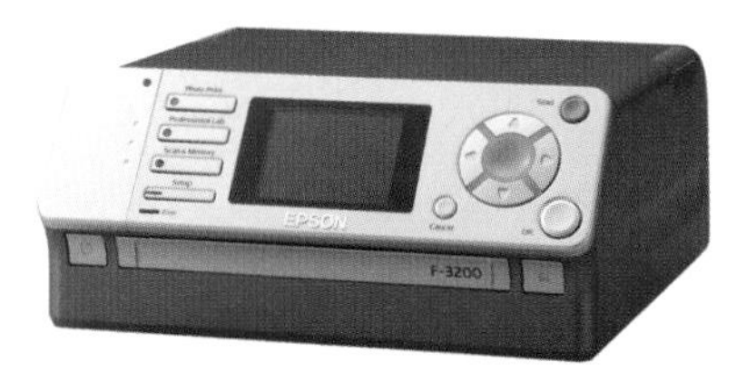

Muni d'un lecteur de carte intégré, ce scanner est capable de numériser des films 24 x 36 et plus, jusqu'au 4 x 5. Des supports papier format carte postale peuvent également être scannés. Sa mémoire lui permet des numérisations de manière autonome. Le prix de ce scanner dont la Dmax est de 3,8 avoisine les 800 euros.

NIKON SUPER COOLSCAN 5 000 ED

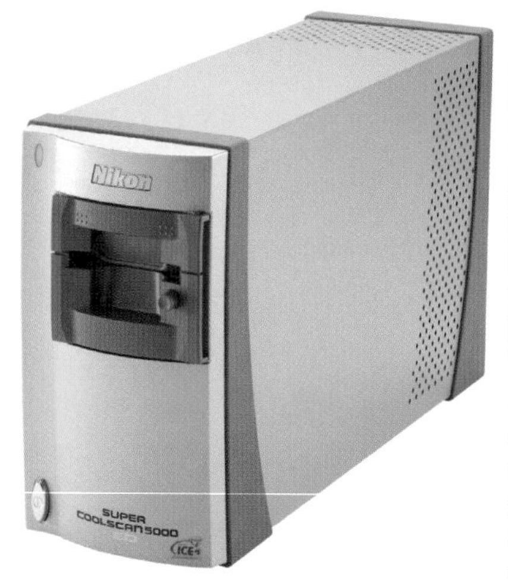

Ce scanner haut de gamme pour films 24 x 36 possède des caractéristiques impressionnantes. Une Dmax de 4,8 et une résolution optique de 4 000 dpi permettent d'obtenir des numérisations de très grande qualité. Il offre la possibilité de scanner des négatifs en bande. Du haut de gamme pour environ 1 600 euros.

CANON CS 4 200 F

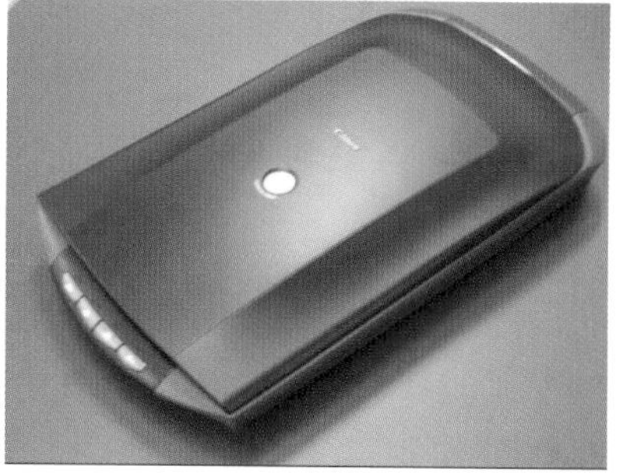

Ce scanner à plat très accessible est également facile d'utilisation. Un design sobre et pur fait de ce scanner rapide un bel outil de numérisation, qui possède une mode de dépoussiérage automatique.

ANNEXE

Glossaire

Analogie : on dit que deux choses ou situations sont analogues lorsqu'elles sont équivalentes.
En photographie, des données analogiques ont des caractéristiques physiques similaires à la scène qu'elles représentent. Ainsi, les données imprimées sur un film négatif sont proportionnelles en dimension, couleur et luminosité à la situation photographiée.

Argentique : ce qualificatif désigne la technique photographique basée sur l'enregistrement chimique (grain d'argent) de l'information lumineuse.

Balance des blancs : fonction de réglage numérique permettant de modifier la température des couleurs et d'adapter la prise de vue aux conditions de lumière. Cette température est exprimée en degrés Kelvin.

Bruit : effet indésirable apparaissant sur une image, par exemple sous la forme d'une granulation ou d'un voile terne.

Capteur : surface sensible d'un appareil photographique numérique. Constitué de millions de pixels, il agit telle la pellicule d'un appareil argentique, en enregistrant sous forme électrique la scène photographiée. Il existe aujourd'hui deux types de capteurs : les CCD et CMOS.

CD : support d'enregistrement et de stockage par gravure pouvant contenir 700 MégaOctets d'informations. Certains CD peuvent être réenregistrables, ils sont dits « CD-RW » (*rewrite- reinscriptible*).

CMJN : modèle de couleurs primaires soustractives utilisé pour le mélange des pigments basiques en impression (Cyan, Magenta, Jaune, Noir).

Composition : elle consiste à agencer les différents éléments d'une image. Des lignes, des formes ou des couleurs peuvent être des éléments de composition au même titre qu'une personne.

Compression : technique d'enregistrement d'un fichier qui consiste à réduire la quantité d'informations contenues dans une photo numérique afin d'en réduire le poids. La compression facilite ainsi la circulation des images sur Internet. En photographie, la forme de compression la plus courante et efficace est le format Jpeg.

Contraste : intensité des zones claires et des zones sombres d'un sujet donné.

DPI (*Dots Per Inch*) : points par pouce

Débit : le débit désigne la capacité du flux électronique à transporter des informations transitant par e-mail et Internet. Exprimé en MégaOctets, il peut être continu (ADSL) et ses plus grandes possibilités de transport sont désignées par l'appellation « haut débit ».

Dmax : densité maximale. La Dmax exprime la capacité des scanners à obtenir des détails et informations dans les zones sombres d'une image ou d'un négatif. Aujourd'hui, l'indice d'une bonne Dmax correspond au chiffre 4.

DVD : support d'enregistrement et de stockage identique au CD mais possédant une capacité de stockage six à sept fois plus importante. Leur capacité est de 4,7 GigaOctets et ils sont également inscriptibles ou réinscriptibles (DVD-R ou DVD-RW).

E-Mail : « *Electronic-mail* », ce courrier électronique permet de communiquer à distance *via* Internet. Selon les différents débits proposés sur le marché, la capacité de transport des informations par e-mail permet d'envoyer des photographies, des petits films ou d'autres documents informatiques.

Exposition : elle est l'association d'un temps pendant lequel le support film ou le capteur est exposé à la lumière, à une quantité de lumière réglée par le diaphragme.

Film lent : il s'agit d'un film dont le grain est fin, qui convient à des prises de vues au flash ou en extérieur par temps lumineux (50/100 ISO).

Film de sensibilité moyenne : il s'agit d'un film qui convient à des prises de vues dans des conditions d'éclairage normal (400 ISO).

Film rapide : il s'agit d'un film à haute sensibilité qui convient à des prises de vues dans des conditions d'éclairage faible, notament en intérieur (800 ISO).

Filtres : il s'agit de pièces de verre ou de plastique montées devant l'objectif afin de modifier la lumière ambiante. Les filtres sont également des outils de logiciel de retouche permettant d'appliquer des effets, des modifications ou des transformations sur les images numérisées.

Fisheye : il s'agit d'un objectif ultra grand angulaire, dont l'angle atteint 180° - qui permet d'obtenir d'importantes déformations.

Flash : accessoire photographique qui déclenche un éclair lumineux. Le flash peut être intégré à l'appareil photo, ou être monté sur le boîtier grâce à une griffe. Certains appareils possèdent un flash intégré et une griffe pour accueillir un flash supplémentaire indépendant.

Format : le terme format recouvre deux sens différents. Le premier se rapporte à la taille d'un film ; le second à l'orientationn d'une image, dans le sens vertical ou horizontal.

GigaOctet : 1 Go représente 1 milliard d'Octets. Il en contient précisément 1 024 Mo, soit 1 070 741 824 octets.

Index : présentation sur une meme feuille de vos photos aux dimensions d'une vignette.

JPEG : « *Joint Photographic Expert Group* ». Les fichiers au format JPEG sont des fichiers ayant subi une compression, avec perte de qualité, en simplifiant le codage des informations lumineuses redondantes.

KiloOctet : 1 Ko représente 1 000 Octets. Il en compte précisément 1 024.

LCD (écran) : sur les appareils numériques, il permet de choisir une image et de la visualiser.

Longueur focale : la longueur focale correspond à la distance qui sépare l'émulsion du film du centre de l'objectif, de manière à produire une image nette de sujets situés à l'infini.

MégaOctet : 1 Mo représente 1 million d'Octets. Il en contient précisément 1 024 Ko, soit 1 048 576 octets.

Mémoire vive : partie de la mémoire de l'ordinateur destinée à l'utilisation immédiate des fonctions informatiques. Ouvrir une photo, travailler des documents sur Photoshop sont des opérations qui utilisent cette mémoire, indépendante de la mémoire de stockage (disque dur).

Mise au point : La mise au point consiste à régler, grace à la bague de mise au point, dite également bague de distance, la netteté du sujet photographié.

Moment décisif : il s'agit du moment précis où tous les éléments d'une composition se combinent pour produire le meilleur effet.

Numérique : technologie utilisant le codage informatique (format binaire) afin de retranscrire des éléments de la réalité. Son, vidéo, ou photographie sont des domaines dans lesquels la transformation analogique en numérique des sources capturées permet un enregistrement, une lecture et un stockage *via* l'informatique.

Objectif grand angulaire : il s'agit d'un objectif qui permet de prendre de grandes étendues.

Objectif standard : il s'agit d'un objectif dont l'angle de champ équivaut pratiquement à celui de l'œil humain, soit un angle d'environ 50°.

Octet : unité de poids numérique regroupant huit informations de base.

Ouverture de diaphragme : le diaphragme d'un appareil photographique fonctionne à la manière de l'iris de l'œil. Il peut être ouvert plus ou moins en vue de permettre à une quantité plus ou moins importante de lumière d'atteindre l'émulsion du film et d'y produire une image. Cette ouverture peut être réglée grâce à une bague sur laquelle sont reportées les valeurs de diaphragme. Les objectifs standard de 50 mm comportent une échelle d'ouvertures de f1,4, f2,8, f5,6, f8, f 16 et f22. Moins ces valeurs sont importantes, plus grande est l'ouverture et plus grand est le volume de lumière qui atteint le film.

Photosensible : ce qui est photosensible est sensible à la lumière et réagit à celle-ci.

Pixels : minuscules éléments de formes carrées ou rectangulaires, contenant une information relative à la luminosité et à la couleur.

Planche-contact : obtenue à l'aide d'un scanner et d'un logiciel de sélection d'images, c'est un document de travail pour les photographes professionnels et un outil de sélection d'images.

Posemètre : le posemètre consiste en une cellule photosensible, qui mesure la lumière, dont la consultation permet de déterminer la vitesse d'obturation et l'ouverture de diphragme. Il existe différents types de posemètres, les uns indépendants des appareils photographiques, les autres qui y sont intégrés.

Profondeur de champ : il s'agit de la plage de netteté qui s'étend devant et derrière un sujet sur lequel s'effectue la mise au point. La profondeur de champ varie cependant en fonction d'un certain nombre de paramètres. La mise au

point et le réglage de la profondeur de champ constituent deux opérations étroitement associées.
Un certain nombre d'appareils reflex possèdent un système qui permet de contrôler visuellement la profondeur de champ.
Si l'on sélectionne une petite ouverture, la profondeur du champ est importante, et une grande partie de l'image est contrastée.

Ce type de réglage est adapté aux paysages et aux prises de vues architecturales. Une grande ouverture de diaphragme permettra d'obtenir une profondeur de champ moindre.

RAM (*Random Access Memory*) : mémoire d'un ordinateur qui stocke des informations volatiles, elle héberge les modules en fonctionnement du système d'exploitation et de l'éditeur graphique.

Résolution :indice exprimant la qualité d'une image. Elle est quantifiée par un nombre de pixels par pouce (ppp) ou DPI (*Dots Per Inch*).
La résolution d'un écran est de 72 dpi tandis qu'une impression soignée nécessite 300 dpi.
Plus la résolution est élevée, plus les détails dans l'image et le poids du fichier sont important. Ainsi, une résolution de 72 dpi facilite l'envoi d'une photo par e-mail, si elle n'est pas destinée à être imprimée par la suite.

RVB : c'est un modèle de couleurs primaires additives (Rouge, Vert, Bleu), utilisé pour la prise de vue.

Scanner : périphérique ayant la capacité de numériser différents supports tels les négatifs, les tirages photographiques ou les diapositives. Scanner à film, à plat ou à tambour (scan professionnel) permettent d'associer la photographie argentique et numérique.

Soufflet : se plaçant entre le boîtier et l'objectif, le soufflet autorise la macrophotographie en permettant d'importants grossissements.

Sous-exposition : une image est sous-exposée lorsqu'elle n'a pas bénéficié d'une lumière suffisante, au point qu'elle n'a pas de relief et que ses couleurs sont fades.

Surexposition : une image est surexposée lorsqu'elle a reçu trop de lumière et qu'elle apparaît à la fois très pâle et comme délavée.

Téléobjectif : il s'agit d'un objectif qui permet de se rapprocher d'un sujet éloigné.

Virage : coloration des images.

Visée reflex : avec la visée reflex, l'image qui apparaît sur le viseur constitue la copie conforme de celle qui impressionnera l'émulsion.

Vitesse d'obturation : la vitesse d'obturation correspond au temps pendant lequel l'obturateur reste ouvert afin de permettre le passage de la lumière jusqu'à l'émulsion du film. Sur un appareil reflex, la vitesse d'obturation peut aller de 1 seconde à 1/2 000e de seconde, en passant par 1/2 seconde, 1/4, 1/8e, 1/30e, 1/60e, 1/125e, 1/250e, 1/500e, ou 1/1 000e.
Quelques appareils professionnels peuvent même aller jusqu'à 1/8 000e de seconde, mais d'autres disposent d'une vitesse d'obturation atteignant 1 minute.

CREDITS PHOTOGRAPHIQUES

13 Mike Key, 14 (haut) Eaglemoss/John Suett, (centre)Eaglemoss/Shona Wood, 15 (centre) Eaglemoss/John Suett, (droite) Eaglemoss/Jonathan Vince, 16 (centre) Eaglemoss/john Suett, (bas gauche) The Image Bank/Pete Turner, (bas centre) Allsport/Steve Powell, (bas droit) Jonathan, 17, 18 Eaglemoss/Steve Tanner, 19 (gauche) Nikon, (droit) Eaglemoss/Michael Taylor, 20 (haut) Eaglemoss/John Suett, (bas) The Image Bank/Colin Molyneux, 21 (haut) John Heseltine, (bas) Eaglemoss/Mike Henton, 22 (haut) Eaglemoss/John Suett, (bas) Eaglemoss, 23 (haut) Eaglemoss/Trevor Melton, (bas) Tony Stone Images/Getty Images, 24 (haut) Adam Eastland, (centre gauche) Eaglemoss/John Suett, 24-25 (bas) The Photographers' Library, 25 (haut gauche) Eaglemoss/John Suett (haut droit, centre gauche, bas) Eaglemoss/Mike Henton, 28 (haut) Eaglemoss/John Suett, (bas) Marie Claire Maison, 29 Eaglemoss/Han Lee de Boer, 30-31 Eaglemoss/Mike Henton, 32 The Image Bank, 33 Keith Johnson and Pelling, 33 Keith Johnson and Pelling, 35 Eaglemoss/John Suett, 36 Eaglemoss/Patrick Llewellyn-Davies, 37 (haut) Eaglemoss/Trevor Melton, (bas) BFI Stills, 38 Eaglemoss/Trevor Melton, 39 (haut) Michael Freeman, (bas) Eaglemoss/Trevor Melton, 40-41 Eaglemoss/Trevor Melton, 42 Retna/Steve Double, 43 Eugene Doyen, 44-46 Eaglemoss/Nigel Robertson, 47 (haut) Eaglemoss/Shona Wood, (bas) Eaglemoss/Stuart Windsor, 49 (haut) Jennifer Rigby, (bas) Zefa, 50 (haut) Vincent Oliver, (bas) Roger Howard, 51 (haut) Vincent Oliver, (bas) Robert Earnes, 55-52 Eaglemoss/Michael Busselle, 59-62 Eaglemoss/Michael Busselle, 63-66 Eaglemoss/Michael Busselle, 67-74 Eaglemoss/Frank Coppi, 75-78 Eaglemoss/Frank Coppi, 79-82 Eaglemoss/Michael Busselle, 87-90 Eaglemoss/Mike Henton, 91-94 Eaglemoss/Ray Moller, 95-98 Eaglemoss/Ray Moller, 99-102 Eaglemoss/Vincent Oliver, 103-106 Eaglemoss/Michael Busselle, 109-115 Initiales/Joackim di Dio, 116 Phovoir (haut) photos.com (milieu) Joackim di Dio (bas), 117 photos.com (haut), 118-141 Initiales/Joackim di Dio, 142 Initiales/Joackim di Dio (haut), 148 Initiales/Joackim di Dio (haut), 150 Initiales/Joackim di Dio (haut).

Illustrations : Graham Dorsett